ARACELLI, MEU AMOR

JOSÉ LOUZEIRO

ARACELLI, MEU AMOR

leia

Copyright 1976 © José Louzeiro

Todos os direitos reservados. Nenhuma parte desta obra pode ser reproduzida ou transmitida por qualquer forma ou meio eletrônico ou mecânico, inclusive fotocópia, gravação ou sistema de armazenagem e recuperação de informação, sem a permissão escrita do editor.

Direção editorial
Jiro Takahashi

Editora
Luciana Paixão

Editora assistente
Anna Buarque

Assistência editorial
Roberta Bento

Preparação de texto
Rosamaria G. Affonso

Revisão
Rinaldo Milesi
Paola Morsello

Capa
Studio Delrey

Produção e arte
Marcos Gubiotti

CIP-Brasil. Catalogação na fonte
Sindicato Nacional dos Editores de Livros, RJ

L945a   Louzeiro, José, 1932-
    Aracelli, meu amor / José Louzeiro. – São Paulo: Prumo, 2012.
    232 p.: 21 cm

    ISBN 978-85-7927-237-0

    1. Crespo, Aracelli Cabrera, 1964-1973. 2. Homicidio - Vitoria (ES) - Estudos de casos. I. Título.

12-8563.   CDD: 364.1523098152
                                                                CDU: 343.61(815.1)

Direitos de edição: Editora Prumo Ltda.
Rua Júlio Diniz, 56 – 5º andar – São Paulo - SP – CEP: 04547-090
Tel.: (11) 3729-0244 – Fax: (11) 3045-4100
E-mail: contato@editoraprumo.com.br
Site: www.editoraprumo.com.br
facebook.com/editoraprumo | @editoraprumo

*Para José Luiz Alquéres
e à memória de Tuca,
do sargento Homero Dias,
do perito Carlos Éboli*

SUMÁRIO

DESAPARECIMENTO
O instante inicial de um drama   9

O PRÊMIO E AS ROMARIAS
Uma cidade clama por justiça   29

HISTÓRIAS DO ABSURDO
Os sete meses seguintes   61

ONDE ESTÁ O FIO DA MEADA?
O homem da máscara de borracha   89

A CONVERSA GRAVADA
Onde há fumaça, há fogo   117

DOIS ANOS DEPOIS
Um anjo dorme na geladeira   131

CAMINHO SEM VOLTA
As previsões que se confirmam   209

DESAPARECIMENTO

O instante inicial
de um drama

UM

Vitória, sexta-feira, 18 de maio de 1973.

Aracelli Cabrera Crespo sai do Colégio São Pedro, na praia de Suá, vai para o ponto de ônibus, na esquina do Bar Resende, cadeiras de madeira pintadas de branco na calçada, uma banca de jornais em frente. É uma garota de nove anos, muito desenvolvida para a pouca idade, olhos negros e vivos, bonita na farda de saia azul, blusa azul mais claro, as iniciais SP bordadas no bolso esquerdo. Ainda não são 17 horas. Chegam outras pessoas, ficam olhando jornais e revistas. Aracelli senta-se numa cadeira, põe a pasta sobre a mesa, brinca com o gato que sempre encontra por ali, silencioso e ágil.

O ônibus aparece, coberto de poeira, naquela tarde de sol quente, céu azul, coqueiros acenando as palmas verdes, bananeiras perfilando-se nas encostas, mostrando o avesso claro e fresco das folhas. Os passageiros tomam seus lugares no ônibus, Aracelli continua na cadeira, alisando o pelo do gato.

– Perdeu o ônibus, Aracelli? – pergunta o garoto que se aproxima na bicicleta sem para-lamas, nu da cintura para cima, pés descalços.

O garoto prossegue pela avenida asfaltada, ninguém mais repara na menina de uniforme bem passado, sapatos lustrosos, que brinca com o gato, oferece-lhe sorvete.

Se Aracelli tivesse tomado o ônibus, agora estaria a meio caminho de casa, no bairro de Fátima, onde as ruas não têm calçamento, são largas, e os arbustos crescem nos quintais, formando tufos de verdura por cima das cercas e muros baixos.

Gabriel Sanches, um espanhol de estatura mediana e gordo, braços roliços, rosto largo, bigodes negros, ouve a mulher falar dos fundos da casa no atraso da filha.

– O que será que tá fazendo?

Gabriel Sanches argumenta que não era tão tarde assim e cala-se, estranhando a preocupação da mulher, pois geralmente Aracelli chegava atrasada, algumas vezes quando havia anoitecido.

— Vai ver que o ônibus enguiçou. Essa linha da Viação Penedo tá cheia de ônibus velhos.

— Se demorar mais é bom ir até a escola — acentua Lola Cabrera Sanches, uma boliviana de cabelos alourados, com quem a filha se parece muito.

O homem pesado e lento bota o blusão, caminha para o carro. Segue na direção da escola, imaginando que até chegar à praia do Suá já a menina estaria em casa.

Bate no portão pintado de verde, passa por baixo da amendoeira, fala com a diretora Zolirma Letait. A professora de Aracelli, Marlene Stefanon, aparece, diz que a menina saiu mais cedo como dona Lola pediu no bilhete.

— Por volta das 16h30 mandei que fosse embora.

— Quando o senhor chegar em casa vai encontrá-la — diz dona Zolirma sorrindo, estendendo a mão.

O carro avança pelo portão, as casuarinas crescendo de um lado, o terreno amplo na frente da casa. Entra e vê Lola:

— Não encontrou com ela?

A mulher está nervosa, a noite vai se fechando na copa das árvores, Gabriel olha as casuarinas junto ao muro sacudindo penachos, pássaros recolhendo voos. Senta-se perto da porta, fica imaginando que a qualquer momento Aracelli apareceria.

— Deve ter ido na casa de alguma colega, esqueceu de avisar.

Lola Sanches mexe nas panelas, abre e fecha a torneira da pia, corta legumes.

— Acho impossível que tenha feito isso.

— Vai ver que hoje esqueceu. Sabe como é criança — considera Gabriel, sentado na sala, contemplando o terreno na frente da casa, agora tomado de noite, uma espécie de lago se insinuando, avolumando, cobrindo com águas negras as formações de arbustos e de relevos.

Misturando-se aos vagos rumores vindos da rua, o choro triste de Lola, que não consegue mais ocupar-se na cozinha. Vem para a sala, enxugando os olhos.

— Aconteceu alguma coisa com Aracelli.

— Vou mandar Carlinhos na casa de uns conhecidos enquanto procuro por aí — responde Gabriel, que também começa a se preocupar.

O ronco do motor vai se distanciando, Lola Sanches fica na porta olhando aquele quintal que virou lago completamente escuro, um vaga-lume ou outro acendendo estrelas no chão.

Carlinhos volta primeiro que o pai. Fala das casas por onde foi, das pessoas com as quais falou.

– Ninguém viu Aracelli hoje.

Mais de uma hora depois Gabriel reaparece. Não tem coragem de dizer nada. Lola Sanches chora alto, soluça.

– Que foi feito da menina, Deus do céu?

Gabriel ajuda-a a sentar-se, o choro se torna convulso, ela tem dificuldade de respirar, em certos momentos fica batendo-se, contorcendo-se, gritando e gemendo, olhos fechados, rosto arroxeando.

Alguns vizinhos aparecem, a senhora morena e magra sugere que se ponha os pés de Lola Sanches na bacia com água fria, outra manda que tragam mechas de algodão embebidas em álcool para que possa cheirar e passar nas orelhas e no pescoço.

Gabriel desaparece mais uma vez. Quando retorna, a casa está cheia de gente, Lola estendida na cama.

– Minha filha! Que fizeram com ela!

A ambulância que Gabriel chamou não aparece, o estado de Lola torna-se pior, o marido se aflige, os vizinhos temem que a crise se agrave e ela não resista.

Lola estendida, quase toda arroxeada, olhos fechados, as mãos tremendo levemente. Aí Gabriel se enche de pânico, ergue a mulher, os vizinhos o ajudam a levá-la para o Volkswagen que está perto da casa. Uma vizinha entra no carro. Carlinhos vai também.

Gabriel faz o Fusca desenvolver o mais que pode naquele terreno irregular, passa pela igreja que não terminou de ser construída, vai sempre em frente procurando chegar logo à via de acesso, de lá à estrada asfaltada.

No pronto-socorro da Santa Casa de Misericórdia confirma-se a preocupação de Gabriel. O estado de Lola Sanches é delicado, tem de ficar internada.

A mulher é levada para a enfermaria, a porta se fecha. Gabriel está sem conseguir raciocinar direito, ele que é lento nos gestos e nas atitudes. Não sabe se vai logo à Polícia, apresentar queixa do desaparecimento da filha, não sabe se permanece mais um pouco no hospital, não sabe se volta e continua procurando Aracelli.

– Vamos, pai, talvez ela tenha aparecido.

Olha o filho tão triste quanto ele, tem vontade de abraçá-lo, dizer que está com medo de chegar em casa, abrir a porta e não encontrar Aracelli.

Enquanto a vizinha que veio com ele para ajudar Lola vai falando, falando, tudo que Gabriel recorda é do dia em que fora morar no bairro de Fátima; do terreno amplo que comprara com sacrifício, das plantas que cuidaram, do muro que fizeram, dos projetos.

– Aqui vai virar um bosque, pai. Quando meu cajueiro tiver grande, quero que você coloque um balanço nele. Você coloca?

Lembra a filha e aquele dia tão longe, as lágrimas inundam-lhe os olhos, ele mal pode dizer qualquer coisa cada vez que a vizinha relembra fatos antigos e é necessária sua opinião. Carlinhos vê que o pai está chorando, faz que não repara.

Gabriel Sanches começa a sentir o quanto se enganara, o quanto tinha sido inútil sua luta até ali. Primeiro as esperanças do imigrante que vem, raízes aparecendo e sangrando; depois as dificuldades se sucedendo e, mais uma vez, os sonhos um por um achatados.

"Se até minha filha desaparece, por mais que goste desta cidade, que me resta esperar? E se não posso esperar, pra onde poderei ir? Pra onde, se agora já nem sonhos tenho mais?"

– Aquela ali não é Aracelli, pai?

O carro parado, Gabriel Sanches movimenta-se ágil demais para seu peso, alguns passos e a indecisão. A menina vem junto com mais duas. Parece Aracelli, mas não é.

A viagem reiniciada, o carro entrando pelo portão que ficara aberto, silêncio no descampado, grilos invisíveis costurando de ruídos finos os desvãos do escuro. A luz acesa na varanda, a pia na cozinha, os pratos jogados, a mesa sem toalha, as facas e os garfos sujos, a ausência de Lola, que dava vida a todos aqueles objetos.

Gabriel senta-se, Carlinhos entra chorando no quarto. Quando os vizinhos se retiram e o cão Radar deita-se perto, Carlinhos fica acariciando-o e chorando por ele e pelo cachorro que não sabia chorar. Radar fora trazido pequeno para aquela casa. Aracelli cuidou dele desde os primeiros instantes. Foi ela quem lhe deu o nome, ela o ensinou a correr, a saltar.

– Por que o nome de Radar no cachorro?

– Ora, Radar é um aparelho que vê coisas que ninguém pode ver.

Carlinhos se lembra das brincadeiras da irmã com o cachorro, Gabriel recorda a satisfação que era ver a mulher botar o jantar com os dois filhos na mesa. Aracelli contando coisas da escola, as lições que a professora Stefanon passara, da boa nota que tirara em História, dos planos que tinha a turma de fazer uma excursão antes das férias. Repentinamente, toda aquela sensação de bem-estar e segurança desaparecia. Um balão que estourava no ar, eliminando forma e cores.

Tarde da noite, ventos mornos vindos do mar gemiam nas hastes das casuarinas, em frente à casa. Gabriel Sanches havia admitido que Lola tinha razão. Alguma coisa de grave ocorrera com Aracelli. E, pensando no sofrimento pelo qual a filha podia estar passando àquela hora, não se conteve e foi ver como Carlinhos adormecera. Encontra o menino e Radar, ambos na cama. Carlinhos tem um braço por cima do cão, que dorme com o focinho entre as patas.

Volta ao quarto, mas não pode sequer cochilar. O desejo é sair de novo, percorrer todos os recantos da praia do Suá, todas as casas de conhecidos, até localizar Aracelli. Ao mesmo tempo sabe o quanto isso é inútil. Ela estava detida em algum lugar, do contrário teria aparecido. Admite então a ideia de que a menina tenha saído do colégio e se afastado muito de casa, passando por lugares que não conhecia. Aí sofreu um acidente, foi atropelada, está num pronto-socorro particular.

"É isso. Não pode ser outra coisa."

Gabriel Sanches deixa o filho dormindo, liga mais uma vez o motor do carro, vai pela cidade à procura de uma menina acidentada, da qual ninguém sabe dar qualquer informação.

DOIS

Sentado em frente àquela mesa escura, com muitos papéis em cima, um homem escrevendo à máquina, outros entrando e saindo, dois ou três falando alto, de vez em quando o telefone tocando, Gabriel Sanches está aéreo. Mecanicamente, vai respondendo às perguntas que lhe fazem.

O delegado promete que as buscas começarão imediatamente. Gabriel Sanches sente-se sujo, olhos pesados, pele gordurosa, barba por fazer. Não tomou café, não tem fome. Da Delegacia vai à redação de *O Diário* e depois de *A Gazeta*. Leva fotografias da filha. Uma em que aparece com os cabelos compridos, a outra com cabelos curtos, blusa de listras transversais.

Retorna ao carro, segue para a Santa Casa, uma enfermeira informa que o estado de Lola inspira cuidados, não pode visitá-la. Gabriel não sabe o que fazer do tempo, em que ocupá-lo, já procurou a filha por todos os lugares imagináveis da cidade, diversos amigos o ajudando nas buscas.

— É sempre bom andar, seu Gabriel. O acaso nos prega muitas peças. Quem sabe, numa rua, numa praça, na porta de um cinema não encontra a menina?

Gabriel ficava olhando Rita Soares dizer aquelas coisas. É uma mulher de meia-idade, respeitada por todos, querida por todos. Seu Henrique Rato, provavelmente um dos mais velhos moradores do bairro, é da mesma opinião.

— Nada de esmorecimentos. Deus há de ajudar.

Por sua vez Carlinhos conta o que ouvira, diz que um menino assim, assim, que tinha uma bicicleta sem para-lamas, viu Aracelli quando saiu da escola e estava no ponto do ônibus.

— O garoto ainda perguntou se havia perdido o ônibus.

— E você viu esse menino?

— Não. Quem contou isso foi seu Zeca Pintor. Também viu Aracelli e o garoto da bicicleta.

Gabriel fica olhando a tarde que se esvai, o sol que completa mais uma viagem. No bairro de Fátima, para quase todos, a noite será igual a muitas outras, menos para ele, que ficará sentado naquela cadeira, esperando Aracelli voltar. Não há mais lugar por onde procurá-la. Nenhum otimismo é mais possível manter se todos os caminhos são percorridos inutilmente, se centenas de perguntas são feitas e as cabeças sacodem, negativamente.

Teria Aracelli, junto com colegas, ido para uma praia, sumido nas ondas? Era impossível. Alguém teria visto, os próprios companheiros terminariam contando a verdade. E Aracelli não faria uma coisa dessa. Teriam sequestrado Aracelli? Não. Isso é coisa de cidade grande. De lugares onde não há mais solidariedade, onde as pessoas se tornaram virtualmente inimigas umas das outras, são feras com aparência de gente.

Os morcegos cruzam o céu escuro emitindo seus ruídos enervantes, um pássaro noturno pia nos arbustos do quintal. Carlinhos adormeceu junto ao pai, que agora terá de levá-lo para a cama, Radar começa a intranquilizar-se com o desaparecimento da dona.

Gabriel volta à cadeira, o cachorro chega perto, ladra e olha a rua, como fazia sempre que Aracelli se demorava ou saía por algum motivo e não o levava. Vai até o quintal, volta inquieto, deita-se finalmente ao lado da cadeira, mas ao menor ruído levanta e começa a latir.

O ar da noite vai ficando mais frio. Gabriel fecha a janela, deixa a porta encostada. Se por acaso cochilar e Aracelli chegar, não ficará no sereno. E, não sabe a que horas, vai sentindo o corpo profundamente mole, a cabeça pesada, os pensamentos dispersos. Radar ladra, ele se assusta, abre a janela, olha o quintal florido de silêncio e de lua.

Quando os galos principiam a cantar, vai à cozinha, esquenta água, prepara um café. Começa a clarear. Mais um pouco o sol tornaria a aparecer, seria um novo dia. Talvez Aracelli viesse com ele. A farda azul, os cabelos castanhos, o sorriso que tanto o encantava. Mete-se no carro, vai até a banca de jornais. Lá está o anúncio: "Desaparecida". Por baixo das fotos as linhas de composição descrevendo a menina, filiação, endereço, escola onde estudava. Na última linha os telefones para quem soubesse do seu paradeiro. Um comunicado sobre criança que some igual a tantos outros. Na tarde desse dia que era domingo, Gabriel Sanches volta à Delegacia de Polícia. Lá só está o pessoal de plantão. Mostra os jornais.

– É tudo que pude fazer.

Os policiais o tranquilizam.

— O superintendente Barros Faria botou uma pá de gente trabalhando no caso. Pode tá certo que a menina aparece. Deixe com a gente.

Sai da Delegacia na direção do hospital, a enfermeira de meia-idade permite que veja a mulher. Entra, Lola está pálida, olhos fundos. Puxa uma cadeira.

— Aracelli tá em casa?

Mente:

— Ainda não, mas a Polícia já sabe onde localizá-la.

Lola vira o rosto, sabe que não é verdade, conhece quando Gabriel está mentindo, chora baixinho, a enfermeira reaparece, pede que Gabriel Sanches se retire.

O Volkswagen azul sobe e desce ladeiras, entra por esquinas sujas, sem nenhum movimento, vai até perto do cais, com os guindastes de braços estendidos. Salta, fica apreciando os que pescam perto do morro Penedo, a lancha que passa nas águas verde-tranquilas, a garça que inicia o voo branco por trás da pedra de limo e ferrugem.

No amplo terreno em frente à casa, transformado em campo de futebol, Carlinhos brinca com outros garotos, corre atrás da bola, veste uma camisa de malhas vermelhas e negras. Do carro Gabriel acompanha os movimentos do filho, das pessoas que passam e evitam falar no desaparecimento de Aracelli.

— Não quis mais jogar?

— Não tou me sentindo legal, pai. Só tava fazendo palhaçada em campo.

Radar deita-se junto a ele, Gabriel vai preparar um pouco de comida para o cachorro. Aí chegam uns meninos, em seguida aparece Rita Soares. Está com os cabelos soltos, tem expressão severa nos olhos esverdeados, que contrastam com a pele de moreno escuro. Senta na primeira cadeira que encontra.

— Alguma novidade, dona Rita?

— Parece que sim.

Os pequenos querem falar ao mesmo tempo, ela manda que Tiziu seja o primeiro:

— Neguinho vinha de bicicleta e viu Aracelli no ponto do ônibus. O ônibus passou, e ela ficou lá.

— Isso quer dizer, seu Gabriel, que Aracelli tava esperando alguém.

– Então o primeiro caminho é ouvir todo mundo que mora perto do ponto do ônibus, a começar pelo pessoal do Bar Resende.
– É uma ideia – acentua Rita Soares.
– Será que ela foi sequestrada, pai? – Carlinhos está inquieto.
– Foi o que ouvi dizer, hoje de manhã. Muita gente acha que um homem convidou Aracelli pra entrar no carro dele. E não foi no Bar Resende.
– Não sei, filho. Não faço ideia.

Enquanto falam, vão comendo os feijões, as batatas, Radar por perto, recusando as sobras que lhe dão. Quando ouve rumor de passos no portão, vai correndo ao quintal, volta de olhar triste.

TRÊS

No mato alto, alguns frutos silvestres, os pássaros ocupados em beliscá-los, o pequeno Ronaldo Monjardim caminhando com suavidade de sombra por entre a galharia, olhos perscrutando as copas, atiradeira pronta para o disparo. Junto da árvore maior e da pedra, descendo a encosta, para os lados onde se estendiam ramadas de melão-de-são-caetano, a concentração de coleiros. Os olhos de Monjardim brilham de satisfação. É a oportunidade que vem buscando há horas. Desce vagarosamente a ribanceira, raspa-se na pedra com tufos de parasitas, pássaros voam assustados, olha ao redor, na fenda da rocha o corpo da menina, rosto desfigurado, o ar se enchendo do mau cheiro que exalava.

Monjardim esquece a caçada de pássaros, assusta-se de estar diante de um cadáver, vencer galharias intrincadas de cipós e unhas-de-gato, chega à avenida Nossa Senhora da Penha, corre à Delegacia de Polícia, volta ao local com os investigadores, dois ou três soldados. Um fotógrafo bate chapas, os homens pegam o corpo com luvas, carregam-no para a viatura, tomam o caminho do Instituto Médico-Legal.

Monjardim corre para casa, fala no que viu. Rita Soares sabe da notícia, quer falar com seu Gabriel, mas não deseja que dona Lola tome conhecimento. Retornara do hospital na véspera, está fraca, qualquer novo choque pode agravar-lhe a saúde. Por isso chama Tadeu, manda que vá procurar Gabriel Sanches.

– Surgiu uma novidade que a Polícia vai lhe comunicar.
– Minha Nossa Senhora!
– Pode não ser Aracelli. De qualquer forma, acho bom o senhor ir na Polícia tirar a dúvida.

Gabriel dirige o mais depressa que pode, entra no prédio da Superintendência, os investigadores que já conhecia de vista o atendem e confirmam o achado.

– É uma menina. O médico-legista tá cuidando do caso.

Gabriel Sanches segue a viatura policial, passa por ruas conhecidas, de movimento, e outras completamente desertas, por lugares que costumava levar Aracelli: a pracinha com os balanços, o jardim público.

Entram finalmente numa rua estreita, saem numa espécie de largo onde há um prédio antigo, as paredes descascando, e outro mais recuado, arquitetura muito velha porém conservado, caiado de branco. Na porta, alguns homens e os que chegam vão entrando. Um corredor, outro, o salão cuja porta é aberta. Depois a geladeira e o funcionário que puxa a bandeja de metal com o corpo mutilado.

O médico de avental branco, luvas e óculos se aproxima. Um policial baixo e gordo opina:

– Parece que foi atingida por substância corrosiva.

O médico é mais prudente:

– Por enquanto é prematuro qualquer raciocínio nesse sentido.

– É sua filha?

Gabriel Sanches, olhos vermelhos, não sabe o que dizer. O rosto da menina está parcialmente desfigurado, os cabelos amassados e sujos, a boca arrebentada. Alguns detalhes levam-no a admitir que é. Mas não fala. Não consegue falar. Sacode apenas a cabeça, afirmativamente.

O médico explica que os exames estarão concluídos em dois dias.

Gabriel Sanches torna a sacudir a cabeça, vai se retirando. Não tem dúvida de que é Aracelli. Na porta do prédio já estão muitos jornalistas. Souberam da localização do corpo, querem declarações.

– É Aracelli?

– Tou quase certo que sim.

Nos jornais o fato se transforma em manchetes. As fotos do desaparecimento servem de ilustração para a matéria. O crime repercute, as emissoras de rádio e televisão anunciam, os comentários nos pontos de encontro de Vitória multiplicam-se. Há quem acredite em crime sexual, há quem fale em acidente.

Os grupos que mais discutem o noticiário são os que se reúnem no Salão Totinho, na rua Nestor Gomes; no Salão Garcia, no Bar Carlos Gomes, na praça Costa Pereira; na Mercearia Gianordoli, na rua Gama Rosa.

A notícia cresce e se espalha. Gabriel Sanches, humilhado e atônito, volta para casa, encontra Lola chorando, as vizinhas procurando confortá-la, seu Henrique Rato e dona Terezinha afirmando que talvez não fosse sua menina.

Gabriel Sanches se enche de coragem, de uma coragem que vinha de seu próprio cansaço, de tantas noites sem dormir direito, da visão triste daquele corpo na bandeja da geladeira, do peito descarnado, do rosto roído, da boca arrebentada, vai dizendo a seu Henrique Rato que era ela sim, não podia ser outra.

– Identifiquei pelas mãos, pelo queixo, pelos cabelos.

Carlinhos se aflige no meio daquela gente toda, Radar fica inquieto, começa a ladrar e a uivar, como se também entendesse que Aracelli tinha morrido, era seu o corpo que estava no IML, queimado e mutilado, jamais voltaria por aquele portão, jamais atiraria bola para que pegasse no meio do quintal, no descampado em frente da casa. Não cataria suas pulgas, não o ensaboaria no banheiro, não iria com ele à quitanda, não lhe daria balas nem chocolate.

Enquanto o cachorro se movimenta e ouve-se o soluçar calmo de Carlinhos, seu Henrique Rato vai falando, repetindo coisas que nunca ninguém ouvira dizer.

– Juro por Deus que se alguém fez isso com Aracelli merece ser morto. É um monstro.

Gabriel Sanches tem os olhos vermelhos, uma nova onda de desespero se avoluma, vem de dentro dele, ergue-se diante dos seus olhos perplexos e avança com fúria, ele teme perder-se, anular-se, sumir na tragédia que gera contradições e desencadeia ódios.

– Merece a morte o monstro que fez isso – repete Henrique Rato.

Rita Soares entra com seu saião comprido, os três pequenos atrás, senta num banco.

– Tem de se fazer justiça!

Gabriel Sanches olha aquela mulher de aparência desvairada, cabelos negros e lisos, rosto magro e decidido, lábios secos e gretados, as veias do pescoço estufando cada vez que fala com mais ênfase.

– Não é hora de amofinamentos.

Henrique Rato também está revoltado.

– Acho que Rita Soares tem razão.

Os gritos de Lola chegam à sala. Quando se acalma, são os soluços de Carlinhos que se ouvem. Rita Soares não se deixa vencer pela dor. Quer os autores do trucidamento da menor mortos em linchamento, arrastados em chão duro de pedras, crivado de tocos.

No meio das pessoas que entram e saem da casa de Gabriel Sanches, aparece Clério Falcão, mulato alto, entradas grandes na testa, gestos simples, rosto marcado de sofrimento. Chega, fala com um, com outro, cumprimenta Henrique Rato, dona Terezinha, abraça Carlinhos. Rita Soares chama-o de lado, pergunta se já sabe a respeito dos rapazes de Nova Venécia.

— Os tais que foram ontem de tarde na chefatura e disseram que Aracelli tá aprisionada por lá.

Os tais de Nova Venécia, um lugarzinho com o qual Rita Soares não simpatizava, disseram também que a menina fora levada para lá por dois desconhecidos que a espancaram, arrancaram-lhe as roupas e a deixaram numa espécie de chiqueiro.

Clério Falcão olha aquela mulher morena parecendo uma cigana e, acima de tudo, uma louca.

— Não se pode deixar criança indefesa nas garras dessas feras que tão destruindo tudo: desses que transam com maconha e LSD.

QUATRO

Clério Falcão, vereador por Vitória, está no final do mandato. Mais um pouco e o período legislativo se encerra. Seu pensamento não é tentar reeleger-se. Quer ir um pouco além. Talvez deputado estadual. Já consultou as bases, sabe que sua candidatura terá apoio maciço dos trabalhadores e dos estudantes.

Mas, naquela tarde em que entra na Câmara, não está preocupado com o futuro político.

Em meio aos companheiros de Partido, pede permissão para relatar um fato que nada tem a ver com o regimento interno, muito menos com as atividades rotineiras dos vereadores.

– Trata-se, no entanto – excelentíssimos colegas –, de um caso que tá abalando a opinião pública, mobilizando a imprensa, repercutindo no noticiário dos jornais em todo o país.

Clério descreve detalhes do caso.

– E o pior é que nossa Polícia tá encarando o fato como rotina. Não montou o dispositivo necessário para evitar o *mistério* que ameaça cercar a morte da colegial.

No final do discurso de Clério Falcão as coisas se complicam no plenário. Há vereador da Arena que afirma não ser a Câmara o melhor lugar para se tratar de elucidar crimes, enquanto os do MDB, partido de Clério, acham justa sua colocação, porque consideram a cidade despoliciada, sujeita não somente à ação dos criminosos da própria região, como dos que entram livremente no Estado.

Terminada a sessão, as considerações pró e contra Clério Falcão estendem-se pelos corredores. Quando o vereador se retira para um bate-papo com os amigos no Salão Totinho, o mesmo tema continua sendo debatido. Ali, a colocação do vereador é aplaudida.

Tutênio, um tipo branco e abrutalhado, popular pelas verdades que gosta de dizer, doa a quem doer, bate palmas a Clério.

– Precisa fustigar essa canalha. Ninguém quer porra nenhuma com a Hora do Brasil. Se mete na Polícia e se amoita. Os rufiões tão por aí dando pirocada em quem bem entendem e fica por isso mesmo. Comem as filhas dos outros, matam, e ninguém se importa. Acho que, como vereador, você deve ir em frente. Descobrir o nome dos salafrários e meter todo mundo na cadeia. Se for possível, acabar com eles. Criminoso que deflora e mata uma menina como Aracelli tem de morrer.

— E quem disse que ela foi deflorada? — é Arturzão, rebatendo as alegações de Tutênio.

— Sei lá. É o que tão dizendo os jornais. Não dizem claramente, mas dá pra entender. E já tem gente afirmando que a menina foi morta num antro de viciados.

— Por enquanto a verdade é que se tem o corpo de uma menina na geladeira do IML; que o pai acha que é sua filha; que a mãe não acha nada porque não tem coragem de ir ver; que o superintendente da Polícia afirma estar tomando medidas que esclareçam os fatos. Acontece que essas medidas tão se arrastando muito lentamente. Não tá havendo o empenho necessário.

Clério Falcão começa a falar, a gesticular, os curiosos se aproximam, o próprio Tutênio, sempre tão barulhento, cala-se, Arturzão está atento.

— É assim que se tem de encarar a coisa. Com bom senso. Nada de afirmações levianas.

— E por acaso tu quer dizer que tou afirmando besteira? Deixa disso, rapaz. Sei muito bem o que digo. Conheço essa cambada como a palma da mão. Tenho um parente que tá engordando na Polícia. Não quer porra nenhuma — diz Tutênio, reacendendo a discussão que não vai parar tão cedo. Nem mesmo quando Clério Falcão se retira e, com ele, muitas das pessoas que ali estão. Mas o Salão Totinho é para isso mesmo. Ali ficam elementos sem muita ocupação, ou que discutem pelos menores motivos. Falam de futebol, de política e da vida alheia. Principalmente da vida alheia.

Clério é um dos frequentadores, mas desta vez está com pressa, tem de retornar à casa de Gabriel Sanches, saber do estado de dona Lola, procurar Rita Soares, perguntar o que sabe mais a respeito dos tais moços de Nova Venécia, ir lá se for o caso.

Não encontra a mulher, fala com Tiziu, o pequeno informa que ela está por perto, não custaria a aparecer. Clério procura Gabriel Sanches, começa uma falação sem fim. Relata o que dissera de tarde na Câmara, promete que as investigações de agora em diante serão realizadas com mais rigor, enquanto anuncia que o superintendente Barros Faria mandara colher cabelos da menina que estava no IML, a fim de enviar ao Instituto de Criminalística, em Brasília.

– O mal disso tudo é o tempo que leva – acentua Gabriel, um tanto desiludido.

– É preferível demorar e se ter segurança do que ficar na dúvida, como estamos – responde o vereador.

– Tou certo de que é Aracelli que tá naquela geladeira. Amanhã, se Lola tiver melhor, vai falar com o governador Gerhardt Santos. Não acredita no que digo. Não acredita. Tem dúvida, mas não quer ver o corpo. Vai pedir ao governador que faça nossa filha aparecer. Acho que isso de pouco valerá. É desejo dela, nada tenho a opor. E parece que o governador tá disposto a recebê-la.

A conversa de Clério Falcão com Gabriel Sanches se alonga, aparece Henrique Rato, aparecem dona Terezinha, Rita Soares e seus garotos, vêm o Noca de Brito e dona Eduvirges. Noca de Brito tem novidades, está suado, um bolso do paletó desbeiçando, a barba por fazer. Vive de vender de porta em porta, anda por tudo que é lugar em Vitória, conhece mais da metade da população.

– Vim de Nova Venécia. Lá tá uma confusão dos diabos. A Polícia encontrou a casa onde tava a menina metida num porão como bicho, toda cheia de pancadas e com marcas de injeção pelos braços. Não vi a menina, mas me disseram que tava até meio maluca. Dona Magnô, uma pessoa que conheço por lá, foi quem viu.

– E a Polícia daqui trouxe a menina? – quer saber Clério Falcão.

– Não. Terminaram apurando que a garota se chama Marcélia Diniz. É filha de gente de lá mesmo.

Noca de Brito passa as mãos grandes e sujas na testa, afirma que o povo todo de Nova Venécia já sabe do desaparecimento de Aracelli, diz que os responsáveis pelo encarceramento de Marcélia podem ser os mesmos que liquidaram a filha de Gabriel Sanches.

– Tem tanta gente ruim nesta cidade – argumenta Rita Soares –, que não acredito seja necessário vir criminoso de Nova Venécia pra atuar por estas bandas. Gente safada é o que não falta aqui. Surgem padres que fazem igrejas e não terminam, vendedores de terras, banqueiros de araque, falsos pastores protestantes, curandeiros e até santos. Pegam o dinheiro dos trouxas e se mandam.

– Teja certo, Gabriel Sanches, que Aracelli vai aparecer, se por infelicidade nossa o corpo que tá no IML é o dela, não se iluda: os responsáveis pelo crime serão descobertos ou não me chamo mais Clério Falcão.

– Até o fim da semana que vem, se nada de novo for apurado, vou contratar dois detetives particulares no Rio.

– Sou de opinião que a gente deve trabalhar de um lado enquanto a Polícia cumpre o lado dela. É claro que não se dispõe dos meios que os policiais têm, mas, como diz o ditado, quem não tem cão caça com gato.

Rita Soares é ainda de opinião que o trabalho deva ser desenvolvido em silêncio.

– Nada de palhaçadas, declarações em jornais, muito falatório à toa. Quando os culpados pensar que se esqueceu o fato, então se ataca. Pega-se o sacana pelos cabelos, arrasta pro ponto mais claro da praça, chama todo mundo pra ver a cara cínica que ele tem. E aí se estraçalha o filho da puta; se bota cachorro nele. Quando a Justiça descobrir, já é tarde, Inês é morta.

Rita Soares está furiosa, as veias do pescoço endurecidas, beiços gretados, uma falha de dente no maxilar inferior avultando, por ser bem na frente.

– Sei como é essa gente. Sei bem como agem os filhinhos de papai.

– Acontece que nós tamos aí pro que der e vier, Tiazinha – afirma Clério Falcão.

– Mas é preciso que se tenha uma pista – argumenta Noca de Brito. – Por enquanto, todo mundo tá ficando nervoso, mas ninguém sabe onde tá o fio da meada.

– Por isso é que se deve trabalhar em surdina – acentua Rita Soares.

O grupo está formado na frente da casa, Radar entra e sai inquieto, Carlinhos fala com os garotos do seu tamanho, dona Eduvirges conta um caso a dona Maria. Em meio àquela falação toda, de vizinhas que ainda cuidam do desespero de Lola, só há paz nas casuarinas balançando suavemente nos olhos tristes e distanciados de Gabriel Sanches.

Está certo de que Clério Falcão levará à frente o que promete, como está certo de que Rita Soares não descansará de procurar os responsáveis pela morte de Aracelli. Rita Soares, *a mãe da rua*, dos enjeitados. Para sustentar os pequenos, vai de sacola em punho pedindo donativos na zona do comércio. Quando a semana está de todo ruim, não se acanha: ronda as feiras pegando restos, anda pelo cais do porto juntando sobras. Os estivadores chamam tia Rita para os lugares onde há mais arroz derramado, mais feijão ou grãos de trigo.

Rita Soares, os olhos verdes, cabelos negros, rosto magro e nervoso. Uma mulher do povo que se incomoda com ele; com as crianças que geralmente terminam sendo as mais sacrificadas, trilhando caminhos impossíveis de vencer sozinhas.

O PRÊMIO
E AS ROMARIAS

Uma cidade
clama por justiça

UM

Faz tempo que Lola Sanches sentou-se à mesa de café. Está distante, olhos fundos, perdidos num ponto que não existe naquela casa, nem naquela manhã. Veste uma blusa de estampados, passou a escova nos cabelos alourados. Não como nos dias em que tudo naquela casa fora alegria, e Aracelli vinha com os grampos para ajudá-la. Gabriel liga o motor do carro, Lola ergue-se mecanicamente:

— Fica aí, filho. Daqui a pouco a empregada deve aparecer. Ela vai tomar conta da casa — diz Gabriel Sanches.

Lola tem os olhos cheios d'água, o carro vai se movimentando, subindo e descendo desvãos do terreno, até atingir o asfalto da BR-101. Gabriel sente vontade de falar, dizer alguma coisa, não sabe por onde começar.

O carro chega à rua de pedras e depois à avenida coberta com lajotas de cimento sextavadas. As casas passam, as árvores passam, as pessoas, os outros carros, a igreja, e Lola Sanches nada vê.

— Vai poder falar com o governador? — pergunta finalmente Gabriel.

Olhando sempre em frente, sempre para mais longe, como uma sonâmbula, ela diz simplesmente:

— Farei o possível.

O carro chega perto dos jardins floridos, dos fícus e das palmeiras, do prédio de estilo antigo e imponente, das colunatas e das janelas trabalhadas, das escadas e dos arcos, dos guardas de luvas brancas, do pessoal elegante entrando e saindo.

Lola Sanches salta e não sente estar subindo naqueles degraus de mármore, pisando tapetes ornamentados de lagos e pássaros no chão lustroso. Senta-se ao lado do marido, as pessoas por perto olhando-a, um senhor gordo estendendo a mão para mostrar-se solidário, o oficial de gabinete de Gerhardt Santos se aproximando, Sua Excelência podia recebê-la. E lá se vai Lola Sanches carregando uma cruz invisível naqueles salões dourados, de cortinas vaporosas. Quando o governador ergue-se da cadeira para dar-lhe os pêsames ela não suporta.

– Minha filha! Minha pobre filha!

Um servente entra no gabinete, Lola toma um pouco d'água, o governador não tem quase nada a dizer.

– Todos nós estamos empenhados em solucionar o caso. Acalme-se. Os responsáveis serão entregues à justiça.

Depois de alguns minutos mais, o governador fala de coisas diversas, mostra que nem sempre o trabalho da Polícia é simples. Gabriel Sanches escuta atento, Lola está distante.

– Vai continuar tudo como tá.

Gabriel leva Lola ao IML, a fim de fazer logo a identificação do cadáver, o carro sobe e desce ladeiras, chega finalmente ao prédio antigo, de cimalha ornamentada.

Os policiais que estão na porta encarregam-se de mostrar-lhes o compartimento em que está o corpo, aparece um funcionário vestindo avental, um outro manda que aguardem um pouco enquanto convoca peritos e detetives que tratam do caso.

Lola e Gabriel, sentados na sala praticamente nua de objetos de adorno, ouvem opiniões dispersas dos funcionários.

– Sou o detetive Matos.

O médico-legista se aproxima, o pequeno grupo vai por um corredor até o salão onde fica a geladeira. Abre-se uma gaveta, o corpo é exposto. Estranhamente, Lola não se enerva tanto quanto Gabriel Sanches esperava. Olha aquele rosto desfigurado, a boca quebrada, dentes faltando, examina os cabelos, as orelhas, mãos e pés, sinais particulares. Enche-se de ódio e repulsa, começa a chorar, a dizer que aquela não é sua filha.

– Nunca! Não é o corpo de Aracelli. Ela não tinha unhas encravadas. Querem me enganar. Não é minha filha!

Gabriel Sanches fica perplexo diante da afirmação da mulher, o médico está espantado, principalmente agora que o superintendente Barros Faria tinha voltado de Brasília e os exames asseguravam que aquela menina era Aracelli Cabrera Crespo.

O detetive Matos pergunta a Gabriel se reconhecia o corpo como sendo da filha, ele confirma o que dissera antes.

– Pra mim, é Aracelli.

O legista olha o detetive sem entender semelhante discordância entre marido e mulher, um policial argumenta que Lola está nervosa demais para o reconhecimento, ela continua afirmando que não é nada disso, o que pretendiam era iludi-la, apresentando os despojos de outra criança no lugar da sua filha.

Gabriel Sanches pede à mulher que tenha calma, procure raciocinar, pois sua afirmação coloca todo o caso em dúvida, derruba as investigações, anula os esforços feitos até ali para desvendar o mistério. Lola Sanches chora, novamente, não pode sequer pronunciar as palavras.

– Me leve pra casa. Vamos embora daqui. Não quero mais ver essa pobre criança.

Um funcionário fecha a geladeira, o grupo se afasta, Lola, ladeada por Gabriel e o detetive Matos, entra primeiro no carro, os policiais ficam intrigados.

– Assim tudo volta à estaca zero.

– Se não é Aracelli a garota que tá aí, temos uma porção de gente mentindo, inventando histórias, e os acusados tão livres de suspeitas – pondera Matos.

– Acontece que os exames feitos em Brasília comprovam que os despojos são de Aracelli. Os cabelos recolhidos em escovas que a menina usava conferem com os que pertencem ao cadáver.

– Confesso que não tou entendendo nada – afirma o detetive Matos – ou a própria mãe da criança tá procurando confundir as investigações.

O sargento alto e magro chega e diz que o superintendente já está reunido com os jornalistas.

– Vai anunciar quem são os matadores de Aracelli. Tem gente na Superintendência como nunca vi. E tá chegando mais.

O superintendente Barros Faria tem o mesmo rosto calmo e olhar sereno, por trás de uns óculos de aros grossos. Relata o trabalho feito pelos policiais, o empenho das autoridades e do próprio governador Gerhardt Santos. Termina afirmando que, graças às investigações procedidas desde o dia imediato ao desaparecimento da menina, tinham chegado a uma conclusão.

– O responsável pelo sequestro e consequente morte de Aracelli Cabrera Crespo é um preto velho, mal-encarado e de aspecto repelente que anda há tempos pela praia do Suá, principalmente nas imediações do Colégio São Pedro. Já estão sendo tomadas medidas pra que seja capturado.

Dois repórteres fazem indagações que o superintendente não gosta, um terceiro interroga em tom irritado.

– Essa era a declaração estarrecedora que o senhor prometeu?

– A polícia não faz milagres.

– Mas o senhor voltou de Brasília dizendo já saber quem eram os criminosos e afirmou no aeroporto que a sociedade se alarmaria com os fatos.

O superintendente levanta-se, sai da sala, no dia seguinte os jornais divulgam as afirmações de Barros Faria com evidente cunho de ironia. Arturzão cantando de galo na porta do Salão Totinho, Tutênio com o rabo entre as pernas.

– Não te disse? Tu fica falando besteira porque quer. Foi um preto velho repelente, que come crianças, o responsável pela morte de Aracelli. E não é um investigadorzinho quem diz isso. É o grandalhão da Polícia. E agora? Devia ter apostado contigo. Quero ver a cara dos detetives e peritos que andam levantando histórias. Eles é que vão acabar em cana por calúnia, difamação e uma quantidade de coisas que os advogados sabem inventar.

– Não acredito que isso vá parar aí. O dr. Barros Faria deve tá querendo ganhar tempo. Não é possível. Ninguém engole essa história. Pode anotar o que digo: a coisa vai evoluir. Não fica assim – declara Tutênio, mais exaltado do que nunca.

A discussão dos dois está forte quando vêm vindo Rita Soares, vestidão de cigana, pano vermelho amarrado na cabeça, Tiziu, Tadeu e Tuca seguindo atrás da mulher com uma sacola cheia de donativos, chinelo de tiras, brincos dourados nas orelhas. Passa perto de Arturzão, critica-o por só viver discutindo.

– Tem de ser assim, tia Rita. Este cara é mais tapado do que uma porta. Não entende porra nenhuma do que se diz.

– E tu é mais entendido do que ele?

Arturzão para de rir. Não contava que tia Rita lhe falasse daquele jeito.

– O que a senhora quer dizer com isso?

– Perguntei se sabe mais coisas do que ele. Coisas ligadas ao caso Aracelli.

Arturzão começa a rir, tia Rita então diz que tanto ele quanto Tutênio estavam convidados para as preces que iam ser realizadas na casa de seu Gabriel Sanches até Aracelli ser localizada.

– Não vi o corpo da menina no IML. Mas se a própria mãe diz que não é filha, quem pode afirmar o contrário?

– Tá esquisito isso! – afirma Tutênio.

– Só Deus pra nos ajudar! – diz Rita e vai andando, subindo a rua Nestor Gomes. – Vitória tá precisando de uma limpeza em regra. O pecado vai tomando conta da cidade, e ninguém vê isso. As pessoas vão se tornando indiferentes, e meninas como Aracelli é que pagam.

Quando começa a escurecer Rita Soares vai ajudar seu Henrique Rato a trazer a imagem de Nossa Senhora de Fátima para a casa de Lola Sanches, onde já havia bastante gente se movimentando na pequena sala, Radar trançando pelo meio do povo. Em pouco tempo não cabia mais ninguém na sala, e os grupos formavam-se no quintal, falavam baixo. Lola Sanches continuava no quarto, algumas vizinhas cuidando dela.

As velas se acenderam na frente da imagem da santa, na mesa coberta com um pano rendado, o cheiro de cera queimada dominando o ambiente, Gabriel Sanches sem ter onde ficar, um estranho na sua própria casa, as mocinhas trazendo flores e colocando no pedestal, Rita Soares ajoelhada, ossos do rosto ressaltados na claridade trêmula das velas, puxando a reza e as vozes grossas e finas acompanhando, repetindo "tende piedade de nós, ó Senhor!; tende piedade de nós, ó Virgem de Fátima!".

Quando o vozerio serenava e de repente o silêncio era tão forte que se podia ouvir as unhas de Radar raspando o chão cada vez que ia ao portão e voltava ansioso, o que avultavam eram os gemidos dos ventos nas casuarinas. Pela primeira vez Gabriel Sanches ficou pensando naquelas árvores, e um arrepio percorreu-lhe o corpo.

"Não devia ter deixado que crescessem tanto; que emitissem esses sons agourentos."

Gabriel Sanches olha as árvores que àquela hora formam uma mancha escura dentro da noite de ventos fortes e surpreende-se ao verificar que Radar também encarava as casuarinas como se de lá, das suas ramagens finas, viesse todo o mal que há semanas se avolumava.

– Livrai de nós, Senhor, os maus pensamentos. Fazei com que os justos tenham justiça e que não seja em vão o sangue que os inocentes derramam.

Quando Rita Soares ergue as mãos postas e curva a cabeça de cabelos lisos até quase o chão, o coro de mulheres nos cantos sombrios da casa repete alto:

– Que a Virgem de Fátima nos proteja; que nos livre do mal; que afaste o Demônio pra longe desta casa e deste lugar. Amém!

Após a oração de Rita Soares, outras mulheres assumem seu lugar diante da Santa, e é também o tempo em que Carlinhos aparece com uma bandeja, mal segura numa das mãos, oferecendo cafezinho aos que conversam, parando aqui e acolá como se não estivesse sentindo seus movimentos.

Quase de madrugada, terminada a prece, um grupo de homens e mulheres sai conduzindo a imagem, velas acesas, vozes soturnas, rumor cavo dos pés no chão de pedras. No dia seguinte a Santa estaria em outra casa, onde novamente as preces seriam proferidas, as invocações feitas.

Do portão, Gabriel Sanches fica olhando a pequena multidão no descampado, já quase na altura da casa de dona Terezinha, as vozes se perdendo, confundindo-se com os ventos frios da madrugada e o choro agourento das árvores. Enquanto o filho fala qualquer coisa relativa aos três pequenos de tia Rita, o pensamento de Gabriel está voltado para as casuarinas e o propósito de botá-las abaixo.

DOIS

– Pai, tou metido aí num caso sério. Tenho trabalhado dia e noite. Por isso se passou a semana toda sem poder vir aqui. O pessoal envolvido é de influência. Gente graúda.

Homero Dias, do Serviço Secreto da Polícia Militar, está sentado com a mulher em frente ao pai.

– Que caso tão difícil é esse?
– A morte de Aracelli. Já ouviu falar?
– Tenho ouvido. Ontem mesmo passou uma Kombi por aqui anunciando seu desaparecimento, e parece que há, inclusive, um prêmio em dinheiro pela descoberta dos assassinos.
– Pois é. Os autores do crime podem entrar numa boa. Se isso acontecer, vai ser um escândalo na sociedade.
– Quantas pessoas tão trabalhando com você? – quer saber João Dias, o pai, homem magro, cabelos quase totalmente brancos, óculos de aros grossos.
– Umas três. Não posso contar detalhes porque é trabalho sigiloso.

Dona Elza Dias, que acompanha o marido na visita ao sogro, acentua:
– Tenho medo de Homero metido nesse tipo de coisa.
– Tenha cuidado, filho.
– Não sei por que cargas d'água foram dar essas investigações a ele – diz a mulher.
– Ordens superiores – argumentou Homero Dias, um tanto nervoso.
– O negócio é agir com prudência. Toda cautela é pouca – acentua o pai.
– Tenho sido prudente até demais. O material que vou coletando passo às mãos do capitão Manoel Araújo. Já há bastante coisa entregue. Dá pra implicar muita gente.
– Como foi mesmo que mataram a menina? – pergunta o pai.
– O senhor precisava ver. Uma monstruosidade!
– Nossa Senhora! – exclama dona Elza Dias. – Não gosto nem de ouvir falar nisso. Basta o que tenho lido nos jornais e visto na televisão.
– O mundo tá virado, minha filha.

– É inacreditável que uma coisa dessa aconteça numa cidade como Vitória, onde a maioria das pessoas se conhece – acentua Elza Dias.

– Não foi a cidade que ficou ruim – torna a dizer João Dias. – Somos nós que tamos retrocedendo na escala social.

A noite está quente, Homero abre uma garrafa de cerveja que tirou da geladeira, oferece à mulher, ao pai.

– Não entendo, o governador recebeu a mãe da menina, o superintendente promete sempre elevar o número de agentes nas buscas, mas tudo continua como nos primeiros dias – explica Homero. – Eu e uns três trabalhando. Apenas isso. Não dá pra entender.

– Vai ver que tão tomando outras providências – arrisca o pai.

– Não creio. A coisa tá mal parada.

– O que quer dizer com isso? – indaga a mulher.

– Parece que há alguém querendo que as investigações não se desenvolvam.

– E por que fariam isso? – indaga o pai.

– Não sei, meu velho. Não sei.

– E que história é aquela da menina presa no porão de uma casa em Nova Venécia?

– Apenas uma maneira de confundir as investigações. Têm surgido muitas tentativas para tumultuar os trabalhos.

– Quem estaria por trás disso? – indaga o pai.

– É o que tou querendo saber. Por enquanto, temos suspeitos. Faltam as provas concretas.

Está tarde, a lua clareando a entrada da casa, o sargento e a mulher vão embora, distanciam-se no caminho de volta. Homero não está com sono, acende a luz da escrivaninha, fica estudando seus apontamentos e, de repente, a mulher já quase dormindo, diz secamente:

– Acho que o capitão Manoel Araújo já pode interrogar o filho de Constanteen Helal.

Dona Elza Dias tem um sobressalto, ergue-se nos travesseiros.

– Filho de Helal?

– Certo. O Paulinho Helal e provavelmente o Dante Michelini. São os dois maiores suspeitos.

A mulher não diz mais nada, porém o marido percebe seu medo. Recolhe as notas, mete-as dentro de um caderno, trata de deitar-se, embora saiba que vai ficar acordado muito tempo, talvez nem consiga pegar no sono.

Pela manhã, Homero sai cedo e quando retorna para o almoço diz que os exames feitos no Instituto de Criminalística em Brasília confirmam ser Aracelli a menina que está no IML.

Dona Elza Dias nada comenta. Está cada vez mais alarmada com o envolvimento do marido, com o curso das investigações, os suspeitos importantes.

Homero Dias chega à Delegacia, não encontra o capitão Manoel Araújo. Um policial chamado Zé Severino se aproxima. Não tem intimidade com Homero, mas o convida para um café. Os dois chegam à rua, Zé Severino não sabe por onde começar.

– Vamos lá, desabafa – diz Homero.

– É difícil falar dessas coisas. Fico até sem jeito.

– Algo com as investigações? – pergunta Homero, curioso.

– Mais ou menos isso. Tou no trabalho de detetive há mais de dez anos. Tenho gostado de tua atuação, os companheiros também. Mas o pessoal de cima não tá querendo que continue na jogada. Não esperava que tu fosse lá no fundo do problema, e agora te guenta que as pedras vão começar a rolar.

– Não acredito – diz Homero.

– É o que te aviso – acentua Zé Severino. – Se pensa que vão chamar o Constanteen Helal ou o Dante Michelini pra depor, tá enganado. Nem os pais, nem os filhos.

– E como sabe dessas coisas?

– É o que transpira por aí.

Na volta do café, Homero Dias encontra o capitão Manoel Araújo. Tem vontade de perguntar como estão sabendo de particularidades de suas investigações, mas não o faz. Prefere esperar melhor oportunidade.

Homero recebe designação de trabalho que não tem nada a ver com o caso Aracelli e só então percebe que Zé Severino tem razão. Daquele dia em diante a Polícia não ia mais insistir em apontar os suspeitos pelo assassinato da colegial.

O sargento volta no final da tarde bastante abatido para casa, quase no mesmo momento em que Rita Soares vai procurar seu Henrique Rato, pergunta se o prêmio de Cr$ 50 mil pela captura dos criminosos ainda está de pé; o velho confirma que sim, ela fala do motorista Bertoldo Lima e num amigo que reside no morro do Itararé.

– Me disseram que esse homem tem uma história a contar.

Por sua vez Henrique Rato mostra-se meio triste, desalentado, diz que Lola Sanches viajou para Santa Cruz de la Sierra e Gabriel fora transferido pela Christian Nielsen para o município de Mangaratiba, no Estado do Rio.

– E o Carlinhos?

– Tá com a mãe – respondeu Henrique Rato, acentuando: – É até bom que Lola tenha viajado. Talvez, quando voltar, o caso já esteja esclarecido. Na casa só está o Radar e a empregada.

Rita Soares despede-se, caminha até o portão dos Sanches, passa pelas casuarinas gemendo no ar escuro da noite, encontra Radar encolhido ao pé de uma parede. Estala os dedos, o cachorro chega perto, ela vê o prato de comida que o bicho se recusa a aceitar. A empregada aparece, fala na viagem de Lola, na transferência de Gabriel.

– Tenho até medo de dormir sozinha nesta casa. Tá uma tristeza que só a senhora vendo. Não sei se foram as rezas que me deixaram impressionada, não sei se são essas árvores de cemitério, plantadas aí, ou se é Radar uivando horas a fio, como se tivesse chorando.

Rita Soares, que viera falar com Gabriel a respeito do homem que conhecia o motorista Bertoldo Lima, sente as pernas doendo de tanto andar, mas não se arrepende.

– Na verdade, não perdi tempo – diz ela alisando o focinho de Radar. – Só por te encontrar aqui sem vontade de comer e te fazer engolir boa parte da boia já me sinto recompensada.

A empregada não entende como Rita Soares consegue conversar com Radar, volta para a cozinha.

– Se Gabriel demorar, vou te levar comigo.

A empregada fala de onde está, o barulho da água da torneira caindo nos pratos e na pia.

– Esse cachorro vai acabar morrendo.

– Há bichos assim. Mais fiéis do que as pessoas.

E vai se afastando, a rua larga com raras pessoas transitando, ela pensando em Tiziu que ficou tomando conta dos dois irmãos menores. Quando chega na parte em que a rua se confunde com a estrada, o mato baixo de um lado e do outro, imagina fazer promessa ao santo de sua devoção. São Benedito, protetor dos pobres, dos fracos e dos pretos. Um santo que já nem procissão tinha mais pelas ruas da cidade, como nos velhos tempos.

Numa parte elevada do terreno, de onde podia ver extensa região à frente, Rita Soares ajoelha-se. Os ventos fortes, vindos da noite, açoitam-lhe os cabelos, as mãos postas acompanham o rosto voltado para as tímidas estrelas. As palavras que pronuncia são inaudíveis, os pedidos que faz só ela sabe.

Durante muito tempo Rita Soares ali permaneceu. Mesmo ao ouvir os passos do animal se aproximando não voltou a vista para olhá-lo. Quando o cão chega bem perto, a ponto de sentir-lhe o calor do corpo e a morrinha do pelo, não há dúvida de que tinha sido seguida por Radar. Como se entendesse a invocação da mulher o cachorro deita ao lado, fica aguardando.

Rita Soares benze-se, caminha através do descampado, o cão seguindo-a de perto. Ao empurrar a porta da sala estreita, dois bancos ao longo da mesa e um candeeiro enegrecendo a manga de vidro rente à parede, vê Tiziu quase adormecido. Radar fica na soleira da porta, como se aguardasse permissão para entrar também. A mulher chama-o, carinhosamente, ele sacode a cauda e se aproxima.

– Até seu Gabriel aparecer, Radar vai ficar com a gente, filho.

Enquanto Rita Soares mexe nas panelas, preparando o jantar, pergunta se Tadeu e Tuca tinham comido alguma coisa antes de dormir. Em pouco tempo, traz o bule de café para a mesa, uns pedaços de bolo, aipins cozidos. Tiziu senta-se num dos bancos, a mulher coloca o candeeiro sobre a lata de farinha. A claridade mal dá para iluminar o aposento de paredes caiadas de branco, um quadro de São Benedito e outro da Virgem de Fátima.

Mastigando os pedaços de bolo e aipim ao lado do filho, Rita Soares pensa nas coisas que tem a fazer. E, acima de tudo, pensa na ida à cidade. Passaria pela escola de Aracelli, seguiria seu caminho até o ponto do ônibus, o cão a ajudaria a encontrar um indício de como fora sequestrada.

Tarde, muito tarde, quando até Tiziu está dormindo, Rita Soares ainda continua sentada ao redor da mesa. Olha o cão sentado à sua frente, nervoso.

"Tenho certeza de que se encontra uma pista que seja. Não é pelo prêmio que seu Henrique Rato oferece. Não tou empenhada nisso pra ganhar dinheiro. É pelo castigo que Deus, a Virgem de Fátima e São

Benedito vão dar aos criminosos. Se uma criança como Aracelli é morta e fica por isso mesmo, o castigo do céu termina vindo pra todos nós. Vitória vai sofrer muito revés por causa desse crime. Não tenho sono desde que a menina foi dada por morta. Tou quase certa, Radar, que isso é uma indicação que São Benedito e a Virgem de Fátima tão me dando. Não querem que adormeça. Se nada acontecer, se nenhuma pista for descoberta, então é que a gente não tá abençoada pelos santos e é tão pecadora quanto os próprios criminosos. Se for assim, pego os meninos, meto os bregueços numa trouxa e desapareço. Vou viver lá pras bandas de São Mateus. Mas não adianta nada a gente ficar aqui pensando em asneiras, antes do dia clarear e se iniciar a caminhada, que vai ser longa. Por isso, acho bom que procure dormir, como os pequenos tão fazendo, que ainda vou me demorar."

Rita Soares levanta-se, vai até o terreiro dos pés de margaridas e lírios-do-vale, volta de dentro da noite com um buquê de estrelas. Põe o quadro de São Benedito e a Virgem de Fátima sobre a mesa coberta com a toalha rendada, acende uma vela, dispõe as flores com ordem e respeito, faz o sinal da cruz inúmeras vezes. Radar encolhe-se num canto, adormece. Quando Rita Soares termina suas preces, os galos estão amiudando, muitas estrelas desapareceram e por cima da mata percebe-se a aproximação de um novo dia. Só então vai para o quarto, estira-se ao lado de Tiziu.

TRÊS

Tiziu volta da quitanda com dois pães. Rita Soares prepara um mingau com o resto de farinha que havia sobrado do almoço. Bota a farinha de molho, mistura um pouco de coco ralado, bota açúcar, prova, acha que os pequenos vão gostar. Mas só então olha Radar: sabe que não pode lhe oferecer grande coisa. Abre o armário, mexe numas latas, dentro da menor delas encontra dois ovos que vinha reservando para fazer gemada.

"Não há de ser nada. Tu também tá precisando de sustância e uma gemada é bem bom; principalmente, quando leva cravo e laranja-da-terra."

Pensando nisso Rita Soares decide aumentar a quantidade de mingau, misturando os dois ovos na massa. Torna a levar a panela de alumínio ao fogo, mexe bastante com a colher de pau para não pegar, experimenta, acha bom, chama Tiziu para provar.

– Tá bom, mãe! Tuca vai gostar.

– E Radar também. Deixa esfriar e bota pra ver se vai querer.

Tiziu fica com a colher de pau, soprando. Coloca a massa morna na mão, leva para o cachorro. Em duas lambidas ele demonstra que aprova o mingau de tia Rita. Ela fica contente, pois agora sabe que pode levá-lo para a cidade sem lamentar que estivesse faminto.

Tiziu lava um prato de estanho, enche do mingau com ovos, bota para Radar, que fica esperando esfriar. Tia Rita lava outros pratos, enquanto Tiziu vai acordar os irmãos.

Primeiro aparece Tadeu, cara morena, sobrancelhas grossas, o nariz miúdo. Depois vem Tuca, menor ainda que Tadeu, barrigudo e ágil. Tia Rita manda que sente afastado do outro para não haver briga, Tiziu toma seu lugar na cabeceira. Os pratos cheios de mingau são dispostos, Tiziu lembrando que nem Tadeu nem Tuca passaram sequer água no rosto.

Rita Soares está com pressa, não tem tempo para detalhes, mas aprova a reclamação do filho mais velho, sabe que tem razão, cansara de dizer que menino que levanta e não lava o rosto e a boca não sentaria com ela para o café. Mas aquele era um dia especial, precisava que os filhos estivessem unidos, pois ficariam sozinhos um longo período.

– Já deixei comida pronta. Quando tiverem fome, é só pedir a Tiziu que ele serve. Não quero bagunça nem queixas quando chegar. Depois podem ir brincar, mas não se afastem muito de casa. Vejam bem o que tou dizendo.

– Radar vai com você, mãe? – pergunta Tiziu.

– Radar vai morar com a gente? – quer saber Tadeu.

– Vai ficar uns tempos, até seu Gabriel e dona Lola voltar de viagem. Enquanto estiver aqui, cada um de vocês cuida dele uma semana.

Rita Soares faz arzinho de riso, os olhos verdes brilham, Tiziu acha graça, Tuca acrescenta:

– Ele é vivo à beça, mãe. Pegou um rato que entrou na quitanda de seu Antonino, e a gente nem tinha visto o bicho.

Rita Soares abre um dos pães que Tiziu trouxe, bota açúcar dentro, pega a banana mais madura que havia na cesta, mete na pequena sacola de lona listrada que se fecha na boca com um cordão trançado. Não precisa nem chamar Radar. Aperta as fivelas da alpercata, volta a recomendar modos aos três pequenos, sai pelo terreiro em frente à casa, passa perto das margaridas floridas e dos lírios-do-vale, ganha a estrada. Não tem um níquel para tomar ônibus. Ainda que tivesse, não o faria, pois não deixaria Radar ir sozinho atrás.

> "A gente vai andando por aí, sem pressa de chegar. Onde se cansar, para e toma fôlego."

Rita Soares caminha na frente, o cão a uns dois metros de distância. Em outros momentos emparelha com ela ou adianta-se, volta correndo. A mulher gosta da animação do cachorro. Perto da pista asfaltada encontra Jovelino Teles, que toma conta de uma banca de jornais para os lados da Rodoviária. Rita Soares lhe diz estar a caminho da cidade.

– Vamos ver por lá o que aquela santa gente tá fazendo em defesa de Aracelli. O senhor ouviu falar alguma coisa de ontem pra hoje?

— Nada, tia Rita. Pelo que sinto, tão é procurando botar uma pedra em cima. Os próprios jornais quase já não trazem mais notícias do crime.
— E o senhor acha que foi crime?
— Pelo que dizem, acho que sim. Como é que a pobre criança ia ficar daquele jeito, se uma cambada de assassinos não tivesse feito com ela o que fez?

Seu Jovelino usa um casquete de pano, botão grande no centro. É moreno, os cabelos começando a ficar brancos. Para não depender de ônibus e manter a forma, comprou, há anos, uma bicicleta. Vai e volta nela.

— Não lhe ofereço carona porque o veículo é pequeno, tia Rita.
— Não se preocupe, seu Jovelino. Não tenho pressa de chegar.

Horas depois a mulher com roupa de cigana chega à avenida Beira-Mar e de lá à travessa que sai do Instituto Médico-Legal. Não há ninguém na porta, nem do salão principal. Rita Soares chama o funcionário de uma sala afastada.

— Queria merecer um favor, seu Nemésio.
— Se tiver ao meu alcance — responde o homem magro, rosto vermelho.
— Gostaria de olhar o corpo que dizem ser de Aracelli.
— Tia, a senhora não tá procurando complicar sua vida?
— Complicando, como? — indaga a mulher, um tanto irritada.
— Sei lá. Dizem tantas coisas por aí que sinceramente já nem sei o que pensar.
— Eu sei de algumas dessas coisas e não me amedronto.
— Vou falar com o chefe pra pedir permissão.

Nemésio, metido numa farda cáqui desbotada, sapatos pretos de saltos roídos, desaparece por trás de uma porta, demora um pouco, volta em companhia do homem alto e forte, um lápis na mão, olhar cansado. Nemésio fala de tia Rita, dos meninos que pegava na rua para criar. Só tia Rita não diz nada. Não está gostando da forma como aquele homem de olhar cansado a encara.

— E pra que a senhora quer ver?
— Pretendo ajudar na localização dos culpados.
— Teria primeiro de ir à Polícia.
— Quando sair daqui, é o que vou fazer.

O chefe de Nemésio percebe que tia Rita, embora de ar desvairado e pés pretos de poeira, não é propriamente uma louca. Sabe muito bem o que deseja e por que deseja.

– Vou abrir uma exceção – diz ele.
– Eu lhe agradeço por isso.

O homem alto e de olhar parado faz um ar de riso, autoriza Nemésio a pegar as chaves. Ambos avançam na direção do salão maior e de lá até um corredor, Radar vai atrás. Aí o homem se volta, estranhando a presença do animal.

– Que é isso? A senhora trouxe um cachorro pra cá?
– Exatamente. Este cachorro é Radar. Foi criado por Aracelli. Desde pequeno.
– E que tem isso a ver com os despojos?
– É possível que ajude em alguma coisa. Não sei como, mas é possível.

Nemésio compreende que a presença do cão poderia impedir que ela visse o corpo, porém a mulher não abre mão da companhia de Radar e vai avançando pelo corredor. Nemésio volta a falar nas coisas que tem ouvido, nos boatos que surgem, no noticiário desencontrado dos jornais, nas buscas infrutíferas dos policiais.

– Conheço uns dois investigadores que já tão dando o caso por encerrado.

E, dizendo isso, puxa a gaveta de metal, que se abre com um rangido fino, Radar senta nas patas traseiras, orelhas em pé, olhos atentos na atividade do homem. No compartimento que por si só já é bem triste, diante do rosto vermelho de seu Nemésio, da sua farda cáqui desbotada, das suas mãos de veias grossas, tia Rita depara-se com a figura deteriorada de uma menina. A mulher é sacudida por um estremeção, o corpo inteiro arrepia. A menina, rosto desfigurado, a boca apenas um buraco, os cabelos amassados, um lado do peito deixando entrever os ossos, parece sorrir. Radar põe-se a rosnar, inquieto, erguendo-se nas patas traseiras, tentando alcançar a gaveta com as patas dianteiras.

– Será que tá conhecendo que é sua dona? – pergunta o funcionário.

Tia Rita, olhos avermelhados, as veias do pescoço endurecidas, responde como pode.

– É o que queria ver. Se Radar era capaz de reconhecer Aracelli. E tá sabendo que é ela. Uma pena que não possa chegar mais perto.

Aí a voz do diretor do serviço surpreende tanto a tia Rita quanto a Nemésio.

– Pode puxar aquela mesa ali e botar o cachorro em cima.

E chegando-se mais perto:

— A senhora tem razão. Ele tá inquieto e parece saber de quem se trata. Tia Rita não pode dizer mais nada. Olhos fechados, as lágrimas correndo pelo rosto magro, o pensamento distante, nos dias em que vira aquela menina uniformizada passar por perto de sua casa, cabelos soltos aos ventos, sorriso brotando como flor, olhos inocentes.

Os rosnados de Radar aumentam e agora ele arranha a mesa com as patas dianteiras, agacha-se e ergue-se, como a fazer mesuras para a dona que jogava bola para que pegasse no meio do quintal, por entre os arbustos, bem ao lado do cajueiro que crescia mais do que todas as outras plantas.

Seu Nemésio fecha a geladeira, Radar salta da mesa, mas ainda fica olhando a portinhola que escondeu o corpo mutilado, tia Rita tenta controlar-se, enxuga os olhos com as costas da mão, chama Radar para perto de si, não ouve o que o diretor do serviço continua a dizer, olha apenas seu Nemésio que procurou ajudá-la, que compreendeu desde o primeiro momento seu propósito, vai-se encaminhando para a porta de saída e de lá até o pátio e a rua, onde os carros transitam rapidamente, as pessoas passam, indiferentes àquela menina que virou morte num compartimento metálico, que parece sorrir como a morte, que parece uma cicatriz que ficará para sempre no corpo da cidade, no rosto de cada cidadão de Vitória, nos sonhos dos justos, nos pesadelos dos celerados.

Radar vai atrás da mulher de vestido arrastando no chão, mas de quando em vez volta-se para trás e para, esperando que Aracelli saia daquela casa estranha, que ele jamais vira, e os acompanhe. Tia Rita não se cansa de chamar o cachorro e num determinado momento até sente profundo arrependimento de tê-lo trazido ali, teme que de agora em diante ele se torne mais triste, deixe definitivamente de comer e morra.

Pelo calçadão que serve de alinhamento a tantas residências luxuosas, com flores aparecendo por entre as grades de ferro, Rita Soares vai relembrando coisas que passaram, até fixar-se no problema causado por Lola Sanches, que não reconheceu os despojos como sendo de sua filha, da contrariedade de Gabriel, que ficou sem entender o que se passava com a mulher, da insistência dela em afirmar que estavam tentando iludi-la apresentando uma criança que não era Aracelli.

"É ela, sim, dona Lola. Radar sabe que é. Tanto quanto nós, ele sabe."

Perto da árvore copuda tia Rita senta para descansar. Olha a torre do relógio assinalando 12 horas, abre a sacola, tira um vidro d'água, bebe um pouco, oferece a Radar.

"Pobre cidade esta, Radar. O pecado é uma doença que mina o corpo e a alma. Aracelli tá rindo dos que mataram ela. Tá rindo, como nos dias que passava lá por casa. Só que agora não é mais um riso de menina que tá entre nós. É de menina mandada por Deus e pela Virgem de Fátima pra que seus carrascos sejam punidos. Tenho pena deles, muita pena."

Os que passam por perto da árvore ficam olhando aquela estranha figura de mulher e o cão que se sentara nas patas traseiras, mas não come as migalhas que ela lhe dá.

QUATRO

Um pouco depois das três da tarde, Rita Soares chega ao morro do Itararé, acompanhada pelo cão. Sobe por uma rua estreita e torta, onde se erguem casebres igualmente estreitos e tortos, de pequenas portas e janelas de tábuas de caixão, pintadas de amarelo e azul.

Quando saiu do IML pensou em ir logo à Superintendência de Polícia. Depois achou mais prudente saber primeiro das informações do amigo de Bertoldo Lima. Assim, quando aparecesse na frente dos policiais, não estaria muito ignorante a respeito do caso.

Parou na tendinha com o balcão estreito, uma balança de pratos de cobre no meio, os pesos alinhados de um lado, as garrafas de aguardente nas prateleiras apertadas, uma imagem de São Jorge e o Dragão.

– Metendo o santo no meio da cachaça, seu Genésio?

O homem faz um ar de riso meio desconcertado.

–É o melhor lugar da casa, tia Rita. Tá lá com todo o respeito e a minha devoção.

O homem dá um copo-d'água a tia Rita, ela oferece ao cachorro. E aproveita para perguntar se Genésio sabia onde morava Manoel Preto, que trabalhou como calafate e depois adoeceu de uma perna, ficou mais de dois anos encostado no seguro.

Genésio conhecia Manoel Preto, embora não tivesse muita certeza da rua em que morava.

– Mas não tem errada. A senhora sobe mais um pouco, quebra pra esquerda, passa uns cinco barracos e pergunta. É por ali. Qualquer pessoa informa.

Rita Soares vê as bananas maduras, pede algumas, Genésio traz mais do que ela quer, coloca-as num prato branco, de beiços quebrados, oferece um pouco de mortadela ao cachorro. Radar se recusa a comer, Rita Soares acocora-se, fala com o cão, acaricia-lhe a cabeça, o bicho parece entender suas palavras, morde sem muita vontade um pedaço de mortadela, morde outro, mastiga.

— É um bicho vivo. Mais inteligente do que qualquer um de nós.
— Quem lhe deu esse cachorro, tia Rita?
— Não é meu. É de Aracelli. Ele tem uma história.
— Da menina que mataram?
— Isso mesmo.
— A senhora acha que vão pegar os culpados?
— O dever da Polícia é esse. O problema é que até agora não há culpados. Só conversa e aquela história do preto velho repelente, lá da praia do Suá.

Genésio faz ar de riso, Rita Soares também acha graça:
— Simples. Quem matou Aracelli foi um preto velho que anda pela praia do Suá.
— Acho que esse caso já tá arquivado, tia Rita. Pode tá certa disso. Outro dia mesmo passou um forasteiro por aqui. Me pareceu gente da Polícia. Tava junto com mais dois daqui do morro. Aí, não sei por que, falaram na morte da menina. E sabe o que o forasteiro disse?

Genésio é um homem alto e de estrutura sólida. Trabalhou 15 anos na estiva antes de juntar uns trocados, meter-se no morro do Itararé, abrir a tendinha. Rita Soares está curiosa, é toda atenção.
— Disse que a cidade já tá preocupada com outros problemas. Ladrões de automóveis, estelionatários e contrabandistas. Aracelli tá morta. É um caso isolado.

Rita Soares ergue-se, começa a falar, olhos duros, rosto nervoso, os cabelos negros caindo-lhe nos ombros.
— Isolado uma ova! Quer dizer que os filhos da puta pegam uma menina como aquela, fazem o que bem entendem com ela e fica por isso mesmo? Nada disso. Alguém ou todos nós vamos pagar. Eu tive lá no IML ainda há pouco, seu Genésio. Se os culpados não forem punidos, teja certo, São Benedito e a Virgem de Fátima vão mandar a cobrança. E, então, até mesmo quem não tem nada com a história termina padecendo. É como tá escrito: por um pagam todos. Deus tá vendo essa maldade que se cometeu em Vitória. Tá vendo o pecado que fica maior cada dia.

O birosqueiro debruça-se no balcão de tábuas finas, os braços grossos, as veias saltadas nas costas das mãos, as unhas rombudas, olhar triste.
— Que São Jorge lhe proteja, tia Rita. Vá até a casa de Manoel Preto. Ele tem uma história que vai gostar de ouvir.

Rita Soares agradece as bananas e os pedaços de mortadela, arrebanha numa das mãos a barra do vestidão largo. Radar segue perto, os cães que vão aparecendo nas portas latem, as galinhas que se criam nas ruas do morro correm assustadas daquele cachorrão, as crianças barrigudas aparecem nuas, roupas estendidas nos cordões e nas cercas, num casebre ou no outro, tênues fumaças de lenha saindo pela coberta de zinco e madeira, os cercados de bambu, os baldes plásticos enfiados em mourões, no barrado de alvenaria o jardinzinho com algumas roseiras, a flor amarela crescendo no meio daquele abandono, de crianças tristes e regos despejando esgotos do lado das casas, da barreira em frente do casario baixo cobrindo-se de melão-de-são-caetano e malva-branca, carrapeiros alargando as folhas nos pontos transformados em lixeiras.

– Onde é que mora Manoel Preto? – pergunta Rita Soares à mulherzinha magra e amarela rodeada de pequenos, o barrigão por ali, esperando outro filho, as varizes estufando nas canelas, os pés descalços, um leitão fuçando na água suja.

Rita Soares continua subindo mais ainda, na direção em que a mulherzinha grávida indicou, os pés doendo nas sandálias, a vista ardendo de tanta luz e finalmente o trecho plano, amplo, desprovido de mato e de regos de esgoto. A garotinha de braços roliços e cabelos crespos leva-a até a porta do barraco.

Manoel Preto aparece, a perna ainda doente, o vermelhão da ferida aparecendo por baixo da gaze, uma pomada amarelada que cheira forte.

– Mora perto do céu, seu Manoel.
– Graças a Deus, tia Rita. Podia ser pior.

Rita Soares olha de novo a perna com a ferida.

– O senhor tá precisando de um benzimento nisso. Mande pegar um olho de mamona e me arranje dois dentes de alho. Vamos acabar com isso.

Manoel Preto sorri do otimismo e da fé daquela mulher, pergunta a respeito do cachorro que está atento aos menores movimentos de ambos e das crianças que chegam junto do barraco para ver a cigana, colares no pescoço, argolões nas orelhas.

– Vamos primeiro cuidar dessa perna, homem de Deus. Depois a gente fala dele e do seu amigo Bertoldo Lima.

Rita Soares chama o garotinho que vem espiar na porta, ele entra no barraco, assustado com a mulher e o cão mestiço de policial

— Vai até os carrapateiros, traz umas folhas daquelas bem novinhas e pede a tua mãe pra me conseguir um ramo de arruda e dois dentes de alho.

O pequeno se atrapalha, aí chega outro maiorzinho, se oferece para fazer o mandado de Rita Soares, ela repete o que já dissera, o garoto argumenta que arruda vai ser difícil.

— Se não tiver arruda, vê se encontra um pezinho de pega-pinto. Também serve. Sabe o que é?

O garoto é esperto, responde que sim.

— Tou cansado de apanhar pra mãe, quando ela tá com tonturas.

— Isso mesmo.

O pequeno desaparece na carreira, dois ou três que estavam por perto o acompanham. Radar vai até a rua, ladra para os cães menores que se aproximam, entra de novo no barraco. Manoel Preto senta-se na cama estreita, oferece a única cadeira disponível a Rita Soares.

— O que Bertoldo viu acontecer, dá pra estranhar. Pode tá certa. Acredito no que diz porque considero ele um homem sério. Com Bertoldo não tem conversa fiada. É preto no branco.

— E o que foi mesmo que ele viu?

— Ora, ele era motorista particular do Jorge, irmão do Dante Michelini. Aí, quando o superintendente Barros Faria anunciou que tinha uma bomba sobre o caso Aracelli, os magnata entraram em pânico. Um dia de tarde, Bertoldo saiu dirigindo o carro de Jorge, onde tava também Dante Michelini. Perto da Superintendência de Polícia, Dante botou uma máscara de borracha na cara, dessas que os artistas de cinema usam. Os dois irmãos saíram do carro e foram pro prédio. Alguns minutos mais tarde Jorge voltou ao carro e rumaram pro escritório dele. Depois Bertoldo viu a mesma máscara na casa de Jorge. Com a história da máscara é que o superintendente partiu pra versão de que o suspeito era um preto velho e agora me parece que a coisa já tá quase arquivada. Que interesse teria Michelini de ir à Polícia usando uma máscara?

Rita Soares levanta pra ver se o pequeno está vindo.

— Desde o aparecimento das Kombis pelas ruas que fiquei de pé atrás. Nenhum rico nesta cidade faz favor. Se a filha de um pobre morre, que se dane. Por que os Michelini iam se doer com isso?

— No dia em que os jornais saíram dizendo que o tal preto velho era o responsável pela morte da menina, disse também Bertoldo que os Michelini comparam uns 200 jornais. Pegaram a notícia, colaram em pedaços de cartolina e mandaram botar nos pontos de movimento da cidade.

— Tanto interesse dá pra desconfiar.

— Eu conheço bem o Jorge. Não é má pessoa, mas quando tá doido se torna um desastrado. A quantidade de casos que já criou por aí não é mole. Por que procurar ajudar a família da menina que desapareceu, que morava lá longe, era filha de gente pobre?

— É aí que tá o nó da questão — afirma Rita Soares. — De manhã tive no IML. Queria ver com estes olhos que a terra há de comer se era de fato Aracelli que tava na geladeira. Na hora em que seu Nemésio puxou a bandeja e vi aquela menina desfigurada, não tive dúvida, e o cachorro ficou tão nervoso que só o senhor vendo.

— Então é a menina que tá naquele gelo esse tempo todo?

— Por Deus que é. O diretor do serviço até ficou meio de pá virada, mas terminou concordando comigo. No começo pensou que era maluquice ter levado um cachorro pra lá. Depois viu que tinha razão.

— E os pais da menina, como vão?

— A mãe foi pra Bolívia, o pai transferido pra trabalhar numa firma no Estado do Rio. O menino tá com a mãe.

— Então já sabem que o caso vai dar em nada, pois não?

— É o que tão querendo, mas Deus é grande. São Benedito e a Virgem de Fátima são meus protetores. Não vou deixar que os criminosos fiquem impunes. Se isso acontecer, tanto pior. Virá um tempo de desgraça sobre os ricos e os que trapaceiam com a sorte alheia.

— Mas não são só os ricos que tão metidos na história, tia Rita. Bertoldo Lima sabe de mais coisa que não quis dizer. Um dia a senhora pode falar pessoalmente com ele e talvez lhe conte a trama toda. Parece inclusive que a menina chamava o Jorge de tio, e que as ligações eram mais sérias. Não sei bem. Não gosto de falar quando não tenho certeza, ainda mais nesta hora. Seria horrível dizer uma coisa sem fundamento.

— Um dia desse quero falar com Bertoldo. Antes vamos tratar dessa perna. Já é tempo de ficar bom.

O garoto chega com os olhos de mamona, o pega-pinto, o ramo de arruda, os dentes de alho. Rita Soares mete-se no compartimento que é chamado cozinha e mal dá para uma pessoa entrar, acende o fogo e de lá vai perguntando coisas a Manoel Preto, que continua sentado na cama estreita, a perna doente estirada.

Rita Soares reaparece, o papeiro de água morna, uns pedaços de panos velhos.

– Vamos tirar a porcariada toda de cima da ferida.

E, dizendo isso, vai desenrolando a gaze, o cheiro forte da pomada invade o barraco, Radar e os garotos estão do lado de fora, brincando. Os meninos atiram objetos à distância, Radar vai apanhá-los nos dentes.

– Deus do céu, como tá isso!

– E agora tá melhor – responde Manoel Preto. – Houve época em que vinha bem mais embaixo. Nessa parte toda onde ficou a marca.

– Mas desta vez ela vai embora. Ferida é como preguiça. Se não se despacha, ela enterra as unhas.

Mete os trapos na água quente, manda que Manoel aguente firme.

– Vai doer pra chuchu, mas é o jeito.

– Pra se ter saúde todo sacrifício é pouco.

Rita Soares encosta o pano com a água quente na chaga, Manoel franze a testa, os braços tremem. Ela repete a dose, as peles esbranquiçadas vão sendo afastadas, os amarelos de pus são retirados, o sangue brota.

– Agora tá bem limpa.

Volta à cozinha, vem de lá com um papeiro, onde machucou os olhos de mamona e os dentes de alho. Pinga na mistura um pouco de azeite doce. Procura saber onde Manoel tem um pano limpo, ele mostra a gaveta.

Derrama no lenço a mistura, amarra-o sobre a ferida. Ajoelha-se, faz o sinal da cruz e, com o ramo de arruda, o benzimento. Convida Manoel a repetir algumas palavras, o preto fecha os olhos, Rita Soares aproxima a boca do amarrado, vai na porta da rua e cospe longe, pronunciando mais palavras que nem o próprio Manoel Preto entende.

Terminada a sessão, mergulha o galho de arruda num copo de água, põe sobre a mesa.

– A arruda vai murchar com a ferida. Quando o galho tiver seco, as folhas se desprendendo, tu vai sentir uma comichão dos infernos. É ela que foi embora.

Rita Soares afasta-se do barraco. Manoel Preto fica na porta olhando o jeito esquisito daquela mulher, de tantos amigos por onde quer que passasse.

CINCO

É um dia de sábado, desses que levam muita gente às ruas do centro de Vitória. O sol quente, o número de carros parece aumentar, as lojas estão movimentadas, as que vendem discos tocam músicas populares a toda altura. O Salão Totinho também está lotado.

Na porta, entre muitas outras pessoas esperando a vez de ser atendidas, Tutênio e Arturzão discutem. Arturzão chegou com o jornal, mostrando que os juízes é que estavam prejudicando a atuação do Vitória, enquanto Tutênio afirmava que o time era ruim, tinha uma porção de gente que não se aguentava nas pernas.

– A maioria não quer porra nenhuma. Essa é a verdade. Não tem nada de juízes prejudicando. É um bando de pé duro em campo. Jogou com o São Silvano e terminou empatando. Não apanhou por sorte.

– Tu não entende nada de futebol, cara. Tu só sabe falar besteira – responde Arturzão, que é torcedor doente do Vitória.

O homem que vende bilhetes de loteria se aproxima, oferece a Tutênio, ele não quer, o vendedor argumenta que é o seu dia de sorte, ao que Arturzão responde:

– Esse bicho não tem dia de sorte. A sina dele é aporrinhar os outros.

Aí Tutênio começa a rir, muito branco e muito gordo no blusão aberto no peito, as calças azuis, sapatos de pano. O pequeno que vende jornais e revistas passa gritando, dizendo ter sido preso mais um suspeito no caso Aracelli.

– Te guenta, bicho. Qualquer hora eles vão te botar a mão. Se começam a prender vagabundo, tu tá no mato sem cachorro.

Mais uma vez Tutênio provoca Arturzão.

– Se tu fizesse metade do que faço, tinha diminuído essa barriga há muito tempo.

Tutênio começa a rir, chama o garoto, compra o jornal.

– Olha aí pessoal, surgiu um porra-louca que afirma ter sequestrado Aracelli. Um tal de Alexandre Stuart.

Outras pessoas compram o jornal, o título forte fala que o sequestrador é engenheiro e advogado, que também usava o nome de Lelis de Oliveira Regino.

– Esse cara não é o dono da imobiliária que dava trambique em todo mundo? – indaga Arturzão olhando a foto de Stuart.

– É ele mesmo – responde Tutênio.

A carta foi encaminhada a Pedro Guerreiro, amigo dos Sanches. Exigia Cr$ 100 mil pela devolução da menina. Um barbeiro pede que Arturzão leia a carta, para que todos ouçam.

– É um barato, pessoal. O cara ficou louco mesmo – repete Arturzão e aí começa a ler em voz alta: "Sr. Pedro Guerreiro, Aracelli (Celita) está viva. Na tarde de 18 de maio foi levada por uma loura, com quem foi vista, para longe. Seu cabelo foi cortado como rapazinho e está com roupas de menino. Foram para outro lugar, estão bem longe. O resto é palhaçada. Celita está bem cuidada e com saudades. Nós a raptamos para pedir resgate. E o resgate é de Cr$ 100 mil, se não quiserem que aconteça com Celita o que aconteceu com Lúcia Helena.[1] O sr. Gabriel, pai de Aracelli, deverá ir, só com o senhor, no lugar indicado, de táxi, sem que o motorista seja trocado pela polícia. Embrulhe o dinheiro em um jornal e siga a rua principal do Novo México. Depois da última casa do bairro, dobre à esquerda e coloque o dinheiro no pé de um cruzeiro torto, que existe no alto do morro. Não estamos blefando. Celita está conosco e só será entregue viva se fizerem o que mandamos".

– No pé do tal cruzeiro torto – diz Arturzão – havia uma segunda carta: "Sr. Gabriel Sanches, volte a Vitória imediatamente, siga a av. Jerônimo Monteiro, entre na Cerqueira Lima e chegue à praça da Catedral. Espere na porta principal da Catedral, às 20 horas. Aracelli sairá de uma daquelas ruas e vai direto ao senhor. Se seguir nossas instruções, não se arrependerá".

– Nunca ouvi falar nesse tal Alexandre Stuart – diz um dos barbeiros.

– É aquele que botou uma loja na avenida Pedro Nolasco. Comprava e vendia terreno. Só que comprava os terrenos e não pagava. Dizem que fez a mesma coisa em Brasília e em Campinas, no Estado de São Paulo.

– Como vem artista pra Vitória, meu Deus! – exclama Tutênio.

---

[1] Ao chamar de Lúcia Helena a menina encontrada morta pelo garoto Monjardim, o suposto sequestrador tentou confundir a família de Aracelli e as autoridades policiais. Interrogado, terminou confessando esse propósito. Lúcia Helena não existia.

— E será que eles são mesmo os sequestradores?

— Sei lá — diz Arturzão, acentuando: — Pelo que tá dito aqui, a Polícia já meteu no xadrez e vai apurar.

— Não acredito nisso — diz um dos cabeleireiros.

— Outro dia já surgiu a história daquele motorista da Kombi. As professoras do Instituto de Educação acharam o homem estranho e foram dar parte dele. Mas não tem nada com nada. É um bestão.

— Acho que já botaram uma pedra em cima do caso — assegura Tutênio.

— Tem gente importante nisso. Tem filhinho de papai. Negro velho não anda atrás de comer menina. Quer é boia.

— Será que seu Gabriel vai atender às exigências do sequestrador?

— Seu Gabriel tá longe daqui, cara — responde Tutênio. — Já cansou de ser iludido. Deu o fora. A mãe também se mandou pra Bolívia com o filho. O caso tá entregue às baratas. Os culpados não vão aparecer nunca. Não é o primeiro, nem será o último.

— Acho que, mais cedo ou mais tarde, a situação se esclarece. Não pode ficar como tá — adverte Arturzão.

— Eu não sei. O próprio detetive Matos me disse outro dia que já tá em outra. Não tem podido trabalhar no caso. E acha que a Polícia vai ficar o tempo todo em cima só de um crime? — pergunta Tutênio.

— Claro que há mais gente trabalhando. Sei que há. É que a imprensa tá por fora. Se tudo que a Polícia fizer os repórteres anunciarem, é uma moleza pro criminoso. Tem coisa sendo feita na moita — afirma Arturzão.

— Também acho — responde um dos barbeiros. — Não podem deixar morrer um caso como esse. Todo mundo tá querendo uma solução. E quem tem filho menor não tem sossego. Já imaginou um filho da gente sair da escola e ser agarrado pelos vagabundos que transam nas ruas de motoca?

— E como sabe que foi a turma de motoca?

— Não sei de nada, argumenta o barbeiro. Tou apenas repetindo o que tenho ouvido por aí.

— Não acredito que um sujeito normal tenha praticado semelhante monstruosidade — afirma Arturzão.

— Tu não sabe nem de metade da missa, cara. Os garotões por aí tão puxando uma erva firme. Isso aqui tá virando paraíso dos malandros e dos viciados. Vou apostando se não tiver viciado metido no caso Aracelli. Ela era uma garotona bonita, eles resolveram arrastá-la pro antro de vício. E lá pintou a desgraça – assegura Tutênio.

— Tu devia tá na Polícia. Tá perdendo tempo – responde Arturzão.

— E se tivesse lá tinha resolvido mais coisas do que muita gente boa. Quando nada, ia ser difícil me corromper – considera Tutênio.

— É o que tu diz. Todo mundo é honesto quando tá de fora.

— Não quero saber dessas particularidades – afirma Tutênio e acentua: — O que tenho certeza é que há gente grande metida na história. Foi por isso que o caso esfriou, surgiu a lenda do preto velho da praia do Suá, os jornais agora lançam as declarações desse porra-louca, e os verdadeiros culpados vão sumindo do mapa.

A discussão está animada quando aparece Clério Falcão. Vem com uns livros de Direito debaixo do braço, uns jornais e revistas.

— Que acha, Clério? – pergunta Tutênio, referindo-se ao caso Aracelli.

— Tá esquisito. Se a família não bater o pé, é capaz de ficar mesmo no esquecimento – responde ele.

— É isso aí. Já disse uma porção de vez pro Arturzão, e ele não quer aceitar. Acha que se a menina fosse rica os suspeitos já não estariam todos na cadeia? Vou apostando que se fizesse o contrário.

— Mas o pai de Aracelli não é um pobretão. A prova é que vai mandar buscar detetives no Rio de Janeiro pra entrar no caso – argumenta Arturzão.

— Buscar porra nenhuma. O que é que dois detetives cariocas vão arranjar aqui, cara? Até entenderem pra que lado a roda gira, já o tempo passou, e o dinheiro do seu Gabriel acabou. Pra enfrentar uma situação dessa, é preciso muita grana, irmão. Muita grana, mesmo.

Clério explica que tem acompanhado o caso, mas sinceramente não sabe os rumos tomados pelas investigações.

— Quando tu botou a boca no mundo lá na Câmara, a gente pensava que a coisa fosse pegar fogo. Mas depois veio o silêncio, e é isso aí – diz Tutênio.

— E esse sequestrador que tá querendo Cr$ 100 mil? – pergunta Clério Falcão.

— Acho que é mais uma história. Parecida com a do preto velho da praia do Suá – acentua Tutênio.

– Não creio que se deva levar as coisas pra esse lado. Se o homem mandou a carta, se ele existe, é bom investigar – afirma Arturzão.
– Mas não tenham dúvidas que isso já tá acontecendo. A Polícia tá em cima do cara. Não vai deixar ele livre enquanto não explicar – considera Clério Falcão.
– Tu não te lembra desse tal Alexandre Stuart, Clério? – perguntou um dos barbeiros.

Clério fica indeciso, o homem prossegue:
– É aquele pinta dos terrenos. Enganou de uma vez mais de cem pessoas. Comprava terrenos dos outros, loteava, vendia e não pagava o proprietário. Agora afundou até os cabelos. Ficou lelé da cuca.

Clério declara estar preocupado com as provas de Direito que se aproximam, mostra o livro.
– Tenho de aprender no mínimo metade do que tá aqui. E não vou deixar por menos. Tou dando duro no estudo. Mesmo assim vou esperar seu Gabriel aparecer pra perguntar a respeito do caso. Não é possível que eles parem as investigações.
– Pra mim, se ainda não pararam, tão quase – acentua Tutênio.
– Esse cara é engraçado – diz Arturzão. – Pra ele todo mundo é desonesto. Todo mundo tá metido em falcatruas.
– Todo mundo não. Nunca disse isso. Disse que tem gente graúda metida na história do desaparecimento da garota e, por isso, as coisas vão de mal a pior. Tu pensa, por acaso, que engoli aquela do sr. Barros Faria dizer que tinha uma bomba pra lançar e no dia seguinte sair com a conversa do preto velho como suspeito? Ora, não vê mesmo que não sou nenhum idiota? E, igual a mim, tem muita gente pensando a mesma coisa.

Clério também aguarda a vez de ser atendido, repete o que já dissera tantas vezes.
– O momento é desfavorável. Mais um mês, menos um mês, termina o meu mandato. Vou sair pra deputado estadual. E minha meta principal é levar o caso da menina pra cabeça. Não vou deixar que as coisas esfriem. Seja quem for o responsável pela morte da criança, terá de pagar.
– E se de fato ela tiver em poder do sequestrador?   indaga Arturzão.
– Tanto melhor. É um problema que se resolve – responde Clério. – Tu precisa ver como ficou a casa dos Sanches com o sumiço de Aracelli. Uma

empregada é quem toma conta enquanto eles tão fora. Outro dia fui até lá e me senti mal. Em tudo que se vê há tristeza.

– Mas, e a eleição, como é que fica? – insiste Arturzão, com ar de deboche.

Aí Clério Falcão se enfurece, o rosto torna-se duro.

– Não vou me eleger às custas da menina. Se ela aparecer, que é o que desejo, de todo coração, tenho muito em que me apoiar. Sou o vereador que mais tem trabalhado pelo pessoal do morro. Ou tu tá pensando que a imprensa me dá colher de chá é à toa? Tou na briga, cara. Tou catucando os problemas que interessam ao povo. Tô do lado dos pobres ou pensa o quê?

A vez de Arturzão chega, ele senta na cadeira, de lá mesmo continua falando, mas os outros já não se interessam pelo que diz, o barbeiro fala, o homem gordo que não era conhecido por ali dá palpite, após ler o jornal, os meninos vêm pedir esmola, um velho descalço põe o chapéu diante de Clério, ele tira umas moedas do bolso, Tutênio fica atento à mulher que se aproxima, calça colada, coxas grossas, num minuto todas as questões são esquecidas, ele faz psiu para a morena, ela não dá bola, segue em frente, ele imita seu andar, repete alto.

– Com uma mulher dessa eu emagrecia.

Arturzão grita que era capaz de engordar mais, Tutênio responde sorrindo que por ali só há mesmo uma bicha:

– Arturzão. Bicha e burro! Ou bicha-burra – e ri alto, divertindo-se com o que diz.

HISTÓRIAS
DO ABSURDO

Os sete
meses
seguintes

UM

Em sete meses as alterações numa cidade como Vitória são pequenas. A catedral continuou fazendo tocar sinos em dia de sepultamentos importantes, Tutênio e Arturzão reuniam-se na porta do Salão Totinho e discutiam pelos menores motivos, Clério Falcão frequentava as aulas de Direito, Manoel Preto viu o ramo de arruda secar e quando retirou a atadura a ferida estava quase fechada, Rita Soares andou meses reunindo histórias em torno da morte de Aracelli, duas casas novas foram concluídas na avenida Beira-Mar, o parapsicólogo que prognosticou estar Aracelli viva nunca mais disse nada, seu Gabriel Sanches reapareceu diversas vezes, o juiz Waldir Vitral insistia no andamento das investigações.

Se, exteriormente, a cidade continuava como sempre, ruas limpas e ruas sujas, as placas de letreiros comerciais se entrecruzando nas portas das lojas, interiormente verificaram-se mudanças que viriam a agravar o caso Aracelli. Os jornais noticiaram que todos os filmes e demais levantamentos feitos no local onde o corpo da menina fora encontrado haviam sumido, o sargento Homero Dias que cuidava das investigações em caráter sigiloso morreu baleado.

Rita Soares soube da ocorrência a tempo de ir ao cemitério procurar uma pessoa conhecida, saber direito daquela história. No cemitério, encontra o velho João Dias, pai de Homero, arrasado, a viúva Elza Dias inconsolável.

Rita Soares caminha por entre os túmulos e as rosas, procurando uns e outros, mas não fala com ninguém, até que descobre o investigador Zé Severino, seu conhecido de muitos anos, chama-o de lado, o policial está revoltado.

– Ele sabia de gente importante metida no assassinato da menina. Avisei que as pedras iam rolar. Procurasse se cobrir. Homero acreditava na verdade.

– E como morreu?

Foi designado pra caçar uns bandidos, por lá se acabou. Parece que a coisa foi na ilha do Príncipe. O que é que Homero tinha de correr atrás de bandido é que não se sabe.

– Como vai ficar isso?
– Ora, como vai ficar. Ele perdeu a vida, e o mundo continua. É como acontece sempre.

Zé Severino diz isso, faz um ar de riso nervoso, vai embora, a mulher fica no meio daquele povo que se mexe com lentidão e amargura, tem os olhos vermelhos, os gestos perdidos. Toma o caminho da rua, resolve ir procurar Clério Falcão. Tutênio informa que já foi para casa, mas Arturzão tem opinião contrária.

– Deve tá pela sede do Partido.

Rita Soares vai até a sede do MDB, um prédio velho, de paredes encardidas. Lá, junto com outros homens, encontra Clério. Ele sorri quando a vê, abre os braços em gestos largos, abraça-a, reclama por ter sumido, manda que sente enquanto conclui uns assuntos.

– Fica um pouco aí, Tiazinha, que a gente conversa já.

Rita Soares admira aquele salão amplo, os quadros de homens importantes nas paredes, as pessoas que entram e saem, o telefone que toca, os que estão em outras salas e falam alto. Uma movimentação como nunca vira dentro de uma casa.

– Tenho coisa importante a lhe dizer. Só que prefiro falar fora daqui.
– Coisa boa, Tiazinha?
– De arrepiar os cabelos. O policial que tava fazendo a investigação do caso Aracelli foi morto pelas costas. Tou vindo do cemitério agora. O Zé Severino andou me contando umas coisas, mas tem muito mais a dizer. Além disso, há ainda outros detalhes. Só a gente conversando com tempo.

Clério e a mulher de saia arrastando no chão descem as escadas, chegam à rua, as luzes nos postes já estão acesas, muita gente passa por eles, Rita Soares fala de Manoel Preto, amigo de Bertoldo Lima, da máscara de borracha, do reconhecimento que fez no IML.

– Levei Radar comigo. Precisava ver como o bicho ficou. É Aracelli que tá na geladeira.
– E Manoel Preto sabe o que Michelini foi fazer na Superintendência?
– Não creio. Se soubesse, tinha dito.
– Então o jeito, Tiazinha, é a gente procurar o tal Bertoldo Lima. Isso que a senhora tá dizendo é a única coisa concreta que já ouvi sobre o caso Aracelli até hoje.

– E da morte do sargento Homero, já soube?
– Sargento Homero? Não sei quem é.
– É quem tava fazendo as investigações sigilosas. Ontem de manhã, mandaram ele procurar uns bandidos na ilha do Príncipe e por lá morreu. Mas pelo que notei no cemitério, a coisa é grave. O pai de Homero não fez segredo e disse pra todo mundo que dava por certo que seu filho caiu numa cilada.
– Que é isso, Tiazinha? – exclamou Clério. – Vou botar a boca no mundo por aí e repetir o que a senhora tá me dizendo.

Clério faz gestos largos, curva-se e ergue-se numa ginga que lhe é característica.

– Acho que finalmente se tá chegando perto da verdade. Agora é só examinar mais a fundo. Nao tenho como entrar na casa do Bertoldo Lima. Deve ser tarefa pra uma autoridade.
– É isso mesmo, Tiazinha. Juro que vou descobrir um jeito. Já disse no meu comício da semana passada que se descobre os matadores dessa menina ou eu deixo de me chamar Clério Falcão.
– É assim que se fala. Tu é que devia tá lá naquela Superintendência de Polícia. Agora quero ver como vão explicar a morte do sargento Homero Dias.

Clério chama um táxi para Rita Soares, o carro desaparece numa curva de rua estreita, ele vai pensando na estranheza daquela mulher, na sua consciência das coisas, na perseverança das pesquisas, nos meses e meses perdidos em andanças de um lado para outro.

Enquanto o carro avança, Rita Soares não sente vontade de falar, mas o motorista gosta de uma prosa e não demora muito a conversa torna-se animada. O motorista refere-se à morte do sargento Homero, ao desaparecimento dos documentos dos arquivos da Polícia, à suspensão do fotógrafo, que é suspeito.

– Agora mesmo é que o caso da pobre criança não vai dar em nada – argumenta ele.
– Não creio – responde Rita Soares – Acabei de falar com Clério Falcão sobre isso. Tá em campanha e vai ser eleito. Seu trabalho principal é exigir punição pros assassinos. A mesma coisa tá fazendo o juiz Waldir Vitral. Não tá conformado com as investigações da Polícia e vai convocar um perito do Rio de Janeiro pra cuidar do assunto. Acho que agora, mais do que nunca, é que a coisa pode se resolver.

— Tá confusa essa história que os jornais tão contando — diz o motorista. — A senhora leu o que disse o bandido acusado de matar o sargento?

Rita Soares não sabe daquele detalhe, fica sem responder, o homem vai falando.

— Diz o assaltante, um tal de Paulinho "Boca Negra", que Homero Dias se atracou com ele. Começaram a brigar e quem disparou no sargento foi um policial que esqueci o nome. Diz ainda o "Boca Negra" que o disparo foi feito à queima-roupa. A senhora já viu semelhante absurdo?

— Só em Vitória. Só nesta santa terrinha, que está cada dia mais confusa e desalmada. Já tenho até medo de andar pela rua. Ninguém mais se conhece. Se para numa esquina, olha os que passam, e o que se vê é um bando de gente enfezada.

— E não é pra menos, tia Rita. Do jeito que as coisas vão, com o custo de vida levando o dinheiro de todo mundo, não há quem possa ter alegria.

— Mas aí é que tá, filho. Dinheiro é importante, mas não pode chegar a ponto de nos transtornar.

Quando Rita Soares deixa o táxi, na rua de casa, a noite se fechara sobre o bairro de Fátima. Ela estava ansiosa de falar com seu Henrique Rato a respeito das novidades, mas primeiro vai ver os filhos. Tiziu havia colocado os pratos na mesa e esperava que aparecesse, pois ficara sobra do almoço.

— Comeram tudo? É assim que gosto de ver.

Tuca chega perto, diz ter um presente para lhe dar, vai ao quarto, volta trazendo um pente de cabelo.

— Onde conseguiu isso pra mamãe?

Tuca tenta explicar na sua linguagem enrolada, que os próprios irmãos quase não entendem, Rita Soares o abraça e ri. Tanto ele quanto os outros dois ficam por perto, esperando o mexido de ovos com carne-seca que a mãe prepara.

— Num instante a boia tá pronta. Vão afiando os dentes.

Eles riem, Tiziu diz que Radar foi embora.

— Pode deixar que ele volta. Foi só ver se Aracelli chegou.

Pouco depois que ela disse isso o cachorro aparece, arranha a porta, entra para a sala. Rita senta-se ao lado dos filhos, bota um pouco de farinha na comida de Tadeu. Tuca diz estar gostando do mexido de ovos. Tiziu não precisa de agrados para comer, sempre tivera bom apetite.

— Onde tu foi, mãe? – pergunta ele.
— Tou ouvindo histórias de uns e outros sobre a morte de Aracelli.
— Já sabe quem foi, mãe?
— Ainda não. Mas vai se descobrir.

Rita Soares recolhe os pratos, põe os restos para Radar, Tiziu ajuda na limpeza, junta os farelos de comida que caíram no chão, a mãe já está na cozinha, sempre muito disposta, a água caindo nos pratos e na panela, ela pedindo que Tiziu vá comprar velas na quitanda do seu Antonino.

Terminados os afazeres na cozinha, faz Tadeu passar água na boca, bota-os na cama. Enquanto espera Tiziu aparecer, desce da parede os quadros de São Benedito e da Virgem de Fátima, vai ao terreiro colher margaridas, lirios-do-vale, Radar acompanha-lhe os passos.

— Como tão as coisas por lá, hem? – pergunta ela a Radar.

O cão mostra-se inquieto, retorna e deita-se na sala.

Tiziu chega com o pacote de velas, Rita Soares acende duas, coloca na frente das imagens, dispõe as flores sobre a toalha branca, ajoelha-se e pede que o filho reze também.

— Peço a São Benedito e a Virgem de Fátima que os culpados sejam castigados. Que abençoem Clério Falcão, que deem coragem a Bertoldo Lima, pra que possa confirmar nos tribunais tudo que disse a Manoel Preto.

— Mas eu não sei quem são essas pessoas, mãe!

— Não tem importância.

Tarde da noite, quando mais nenhum rumor é ouvido na porta da casa, Rita Soares ainda está de mãos postas, rosto de malares ressaltado na luz da vela. Tiziu já se deitou sobre o banco comprido que fica junto à parede e adormeceu. Radar continua sentado no meio da sala esperando que a cigana termine suas imprecações.

DOIS

Tiziu saiu cedinho e volta logo. Traz os pães e o recado.
– Seu Henrique mandou dizer que já vem, mãe.
Rita Soares prepara o café, os garotos tomam. Além do café, Tadeu quer mingau de araruta. Ela prepara o mingau, todos terminam tomando. Depois, saem para brincar, e é o tempo em que seu Henrique Rato vem chegando, chapéu de feltro, abas curtas, na mão.
– Mandou me chamar, tia Rita?
– Mandei, seu Henrique. Tem umas coisas que preciso lhe dizer.
O velho de cabeça branca senta ao redor da mesa, Rita puxa um banco.
– De uns tempos pra cá, descobri umas novidades que só o senhor vendo. Os Michelini são suspeitos.
– Os negociantes Dante e Jorge Michelini?
– Eles mesmos. Quando nada, é o que afirma Bertoldo Lima, motorista do Jorge.
– Minha Nossa Senhora!
– Soube por um conhecido que Bertoldo tinha uma história a contar. Aí andei uma porção de dias até descobrir um amigo dele. E terminei sabendo que Manoel Preto, aquele ex-calafate, tinha sido seu companheiro de trabalho. Fui então procurar Manoel, no morro do Itararé. Ele disse o que ouviu de Bertoldo. E Manoel Preto, o senhor conhece, não é de inventar nada. Um dia de tarde o Bertoldo Lima levou Jorge e Dante Michelini pros lados da Polícia. Quando tavam se aproximando da Superintendência, Dante pegou uma máscara de borracha e meteu na cabeça. Uma máscara, dessas que os artistas usam pra disfarçar a fisionomia. Os dois foram até o prédio da Superintendência. Uns cinco minutos mais tarde, o Jorge voltou e mandou que Bertoldo rumasse pro escritório.
– E o que foi feito do Dante Michelini? – indaga Henrique Rato, interessado.
– Ninguém sabe. Ficou pela Polícia. Num dia Bertoldo foi à casa dos Michelini e viu de novo a tal máscara.
– E o que foram fazer na Polícia?

— É isso que Manoel Preto não disse. Pelo que observei, ou ele não pode contar ou o Bertoldo achou melhor não lhe dizer. Pra desvendar esse mistério, falei com o Clério. Ele tá fazendo a campanha pra deputado e é a hora de botar uma porção de coisas pra fora. Clério ficou entusiasmado com a informação e me disse que ia convocar Bertoldo pra uma conversa.

— Será que os filhos de Michelini o meteram numa enrascada?

— Daquela patota não há o que duvidar.

Rita Soares faz uma pausa, Henrique Rato olha a imagem da Virgem de Fátima na parede.

— Acho bom a gente voltar às preces, tia Rita. Rezar e rezar muito. Tamos indo de mal a pior — acentua o velho.

— Tenho rezado todos os dias por Aracelli e por seus perseguidores. Não desejo vingança. Quero apenas que Deus e os Santos mandem justiça. Com uma criança não se faz isso. Fui ver o corpo. Notei uma coisa que não sei se os policiais chegaram a perceber.

— O que foi, tia Rita?

— Me pareceu que Aracelli tá rindo com sua boca desfigurada. É um riso mortal, que chegou a me arrepiar. É bom pros criminosos que eles sejam punidos. Do contrário, o castigo que virá do alto será muito maior. Pra eles e pra cidade.

— Clério vai ter tempo de se ocupar com o caso durante a campanha? — pergunta Henrique Rato.

— Claro que sim. A solução do caso será seu primeiro compromisso depois de eleito.

— Clério é um homem sensível. Tenho fé no que diz — afirma Henrique Rato.

— Ele é nossa esperança. Vai dar força pra que se descubra os bandidos que se escondem nas sombras dos castelos. Cada vez mais acredito no que diz Tutênio. Onde tem um grande crime, há um rico metido nele. Parece uma maldição. E pelo que vejo o castigo vai se repetir. Quanto às preces — diz Rita Soares —, tenho uma ideia. Gostaria que fossem divididas em duas partes. Primeiro rezariam só as crianças. Depois os adultos. O pedido de uma criança vale mais do que cinquenta nossos.

— Isso é verdade.

— Hoje mesmo a gente começa a avisar o pessoal. Cada dia as preces podem ser realizadas numa casa.

Rita Soares fica na porta, observando o velho que se vai por entre as estreleiras; olha a manhã, o sol nas folhas, sente uma alegria íntima e com a alegria a certeza de que Aracelli não se tornará uma almazinha penada.

"Deixe estar, filha. Cá na Terra tem quem cuide de ti."

Rita Soares remexe nas latas, vê que não há comida, as reservas tinham ido embora. O que dispunha era de um pouco de açúcar, outro de café, uns ovos. Não havia mais arroz, e a farinha fora a conta do jantar.

– Não há de ser nada – diz ela. – Não há de ser nada.

Tiziu vê quando a mãe passa do outro lado da rua, as sandálias cheias de terra, os cabelos esvoaçantes. Tudo o que diz é que não vai demorar.

Tiziu atira a bola de borracha para o meio do descampado e com dois ou três saltos Radar a alcança. Prende a bola nos dentes, traz de volta.

O homem da bicicleta vai se aproximando dos garotos, pergunta se algum deles é filho de tia Rita. Tiziu, o mais esperto do grupo, responde.

– Eu e mais estes dois. Por quê?

– Sou amigo dela e queria lhe fazer uma surpresa. Fui na casa, mas não tem ninguém lá.

– A gente tá esperando que chegue.

– Vou rodar por aí e daqui a pouco torno a aparecer.

O homem equilibra-se na bicicleta. Tiziu e Tadeu ficam com vontade de dar uma volta.

– Tu não alcança o pedal – explica Tiziu.

– E tu alcança por acaso? – respondeu Tadeu, zangado.

Tuca é que não se preocupa. Fica apenas olhando o preto distante, desenho dos pneus finos impresso na areia.

– Quando tiver grande, vou comprar uma bicicleta pra mim – diz Tadeu.

– Com que dinheiro, engraçadinho? – argumenta Tiziu, para irritá-lo.

– Ora, a mãe compra pra mim. Se não comprar, eu trabalho e compro.

Radar aparece com um chinelo velho nos dentes.

– Vai botar isso fora. Deixa de ser saliente – grita Tiziu.

O cão solta o chinelo, sai correndo atrás do carro que vai avançando vagarosamente pela rua sem calçamento.

– Radar. Vai pegar a bola!

Rita Soares reaparece, sacola listrada no ombro. Tiziu e os outros dois correm ao seu encontro. Já passa bastante do meio-dia, o sol se tornara quente e os pequenos não tinham mais como brincar àquela hora. Em casa Tiziu trata de botar água na tina, enquanto Tadeu e Tuca tiram a roupa suja.

– Todo mundo no banho. Só senta na mesa quem tiver limpo – diz Rita Soares.

– Mãe, veio um homem te procurar.

– Não disse quem era?

– Um crioulo numa bicicleta. Disse que daqui a pouco volta. Rita Soares acende o fogo, tira a casca dos pedaços de abóboras, cata o arroz, corta as batatas.

– O que é a comida, mãe? – quer saber Tadeu.

– Refogado com verduras. Tão precisando disso.

Tiziu leva a toalha para Tuca se enxugar, Tadeu ajuda a pôr a mesa, a casa toda se enche do cheiro agradável do refogado.

– Onde anda Radar?

– Tá por aí – responde Tadeu.

– Lava também o prato dele.

A comida está sendo posta na mesa quando batem na porta. Rita Soares abre, depara com Manoel Preto sorridente.

– Olha só, tia Rita, como a bandida sarou.

Diz isso e continua sorrindo, lembra o presente que trouxe para as crianças. Sai para o terreiro novamente, onde deixou a bicicleta, volta com um saco de mantimentos, onde tem carne-seca, açúcar, azeite, café moído e farinha. Deposita o saco num canto, meio acanhado.

– Taqui, tia Rita. É uma pequena ajuda. Não repare.

– Deus do céu, não precisava se incomodar com isso, seu Manoel. O senhor também não é rico – acrescenta Rita Soares.

– Agora sou, tia Rita. Com essa perna sarada e com a vontade de Deus, vou em frente.

Tadeu levanta da mesa para olhar a bicicleta, a mãe ralha, ele volta. Manoel Preto promete dar uma volta com ele se comer tudo que está no prato, o garoto sorri, os dentes miúdos aparecendo, as covinhas no rosto moreno e gordo.

– E com a perna curada, tia Rita, pude dar uns bordejos por uns lugares aí e fiquei sabendo de umas coisas que vão lhe interessar. Não cheguei a falar propriamente com o Bertoldo, mas outras pessoas bem informadas me contaram. Nem queira saber quanta trabalheira tá ocorrendo, tudo pra encobrir o caso da pobre menina.

À proporção em que os pequenos vão terminando a comida, a mãe manda que levem os pratos para a cozinha. Por sua vez, Manoel Preto deixa que Tiziu e os dois menores empurrem a bicicleta para o terreiro.

– Cuidado pra ninguém se machucar.

– Não abaixem a cabeça. Vocês terminaram de comer – lembra a mãe.

Sentam-se de novo ao redor da mesa, a mulher tira a toalha suja de farelos, vai sacudi-la por cima da janela. Manoel Preto fica olhando aquelas paredes irregulares, caiadas de branco, pequenos quadros pendurados em pregos, a cortina de chita estampada, os enfeites de papel crepom, as imagens de São Benedito e da Virgem de Fátima, os santos da devoção de Rita Soares.

– A senhora sabe o que Dante Michelini foi fazer na Superintendência de Polícia? No dia que usou a máscara de borracha?

Rita Soares não responde nada. Está atenta aos menores movimentos do preto de rosto tranquilo, dentes muito brancos aparecendo.

– Foi levar uns pedaços de pano que disse ter encontrado nos fundos da casa de um cara chamado Fortunato Piccin. Esse Piccin era da patota do filho de Michelini, do Paulo Helal, filho do Constanteen Helal, do Baducha, do João Doido, do Tranca-Rua, Carlos Ritz e outros. O pessoal da motoca.

– Tentou incriminar um amigo dos próprios filhos?

– Espere que tem mais – responde Manoel Preto. – Acontece que, sem querer, fiquei sabendo que o Fortunato Piccin era envolvido com drogas e exatamente no dia em que a menina desapareceu, ele tava drogado. Aí, ninguém sabe ainda com precisão, ele foi baixar num hospital e por lá morreu. E, como a senhora sabe, morto não fala.

– O que é que o senhor tá me dizendo, seu Manoel?

– É como a senhora afirma: a santa cidade de Vitória tá indo de mal a pior. Nunca vi uma trama dessa em toda minha vida.

– E o senhor não ouviu falar na morte do sargento Homero Dias? O policial que começou a cuidar das investigações?

Manoel demonstra não estar a par do caso.

– Morreu perseguindo bandido na ilha do Príncipe. Tiro pelas costas. O homem era do Serviço Secreto e ninguém sabe por que foi pegar bandido na rua. Dá pra entender uma coisa dessa?

– Não dá, não.
– Eu tive no enterro do sargento e ouvi o pai dele dizendo que o filho foi vítima de uma cilada. Não fez segredo pra ninguém. Tava dizendo em alto e bom som.
– Quem tá por trás de tanta sujeira, tia Rita?
– O dinheiro, meu senhor. Mas o castigo de cima não vem só pros pobres.

Rita Soares está na porta, ao lado de Manoel Preto, os pequenos distanciados, forcejando com a bicicleta. Tiziu sentou-se no selim, tenta tocar os pedais, Tadeu e Tuca aguentando a carga. Rita Soares dá um berro pro filho maior.
– Bonito. Muito bonito. Fazendo os menores de bobos.

Tiziu desce, entrega a bicicleta a Manoel Preto. Tadeu pede que ela arranje uma bicicleta. Rita ouve o filho, mas o pensamento está voltado para o que lhe dissera Manoel.

"Será que o Clério já sabe disso?"

– Compra a bicicleta, mãe?
– No Natal – responde Rita Soares, sem pensar muito no que está dizendo.

Olha a imagem de São Benedito e da Virgem de Fátima, manda os filhos brincar, a pequena sala fica silenciosa, ela se ajoelha e reza. Quando termina, está certa de que seu Henrique Rato tem razão.

"Se precisa de muita reza. Muita mesmo."

O sol está quente, bananeiras e coqueiros agitam as folhas, rouxinóis fazem ninhos no pé da estreleira. Olhando as plantas de folhas faiscando naquela tarde de tanta luz, Rita Soares tem uma outra ideia, que não contará a ninguém. Debruça-se na janela que dá para o terreiro, fica olhando as flores e os pássaros. Conscientiza-se de que o passo inicial seria procurar Clério Falcão, perguntar-lhe a respeito de Fortunato Piccin e do relacionamento dele com os Michelini e os Helal.

Arruma os cabelos diante do pequeno espelho, enfia de um lado o pente que Tadeu lhe dera de presente, pega a sacola e sai. Da porta, grita por Tiziu, o pequeno aparece todo suado, pergunta pelos outros, diz que não demoraria.

TRÊS

Rita Soares está sentada à mesa, do lado da parede, Clério Falcão fala e gesticula, em determinados momentos aproxima muito o rosto, olhos arregalados.

— Não tenha dúvida de que a coisa pro lado deles tá ficando preta. O Dr. Waldir Vitral já pediu duas vezes um relatório sobre o andamento das investigações. E Tiazinha sabe o que aconteceu?

Clério não espera que a mulher raciocine.

— O Barros Faria mandou dizer que não tinham conseguido nada. Da última vez mandou o próprio inquérito incompleto. O juiz ficou muito chateado e devolveu o papelório, afirmando que desejava um roteiro do trabalho, não o inquérito sem nenhuma conclusão. E a coisa tá por aí. Se acham que vão brincar com o Waldir Vitral, tão enganados.

— Dr. Waldir é o da 3ª Vara Criminal? — pergunta Rita Soares.

— Esse mesmo. Homem seguro tá ali. Não tem moleza — ressalta Clério.

O garçom se aproxima, as pessoas em torno das outras mesas falam alto, um velho entra, conversa com Clério, abraça-o.

— É o mandachuva em Gurigica de Dentro — diz Clério.

— Por lá a garantia é total.

O velho se vai por entre as mesas barulhentas, Clério explica a Rita Soares que a campanha para deputado está dura, em Gurigica o velho tem aguentado as pontas, se sair tudo certo receberá pelo menos 300 votos.

— Trezentos aqui, duzentos ali, a gente vai em frente. É de grão em grão que a galinha enche o papo.

Rita Soares olha aquele homem inquieto, as grandes entradas na testa, o rosto marcado de antigos sofrimentos e, não sabe bem por que, sente vontade de dizer que sua campanha já estava vitoriosa.

— Tu vai ser eleito e com mais votos do que todos os outros. São Benedito e a Virgem de Fátima tão do teu lado.

— Que assim aconteça, Tiazinha. Tou me pegando até com os cabocos e batendo cabeça pelo futuro que virá.

O garçom traz mais pão com manteiga e mais café com leite.

— Faça um lanche reforçado, Tiazinha, que hoje ainda se tem muita coisa pela frente.

— Gostaria de saber mais sobre o sargento Homero Dias — afirma ela, de repente.

— Tamos sintonizados, pode acreditar. Hoje de manhã, encontrei com um comissário que é meu chapa, e ele prometeu nos dar o serviço completo.

— Gostaria de fazer duas coisas e pra isso quero contar com teu apoio — diz Rita Soares.

— Pode falar, Tiazinha. Se tiver no meu alcance, nem duvide.

Enquanto diz isso, outros homens aparecem, abraçam Clério, falam da contenda com o diretor do Trânsito, falam da mudança de mão em diversas ruas, Rita Soares não está a par de nada daquilo. Clério gesticula, senta e levanta, dá risadas, bota o braço no ombro dos conhecidos.

— Mas, como Tiazinha ia contando — diz ele.

— Gostaria de saber o nome do policial acusado de atirar em Homero Dias e dar uma chegada na Casa de Detenção, pra falar com o tal Paulinho "Boca Negra".

— A primeira coisa não é difícil. Posso até lhe dar agora o nome do policial.

Dizendo isso, Clério Falcão começa a remexer nos bolsos do paletó, a tirar papéis dobrados, notas de compras, recibos e botar sobre a mesa. Finalmente, após uma longa procura, eis que aparece nas costas de um recibo o nome que tanto queria.

— Tá aqui. PM Jair de Oliveira Garcia.

Rita Soares pede que o papel fique com ela, Clério Falcão faz nova anotação do nome.

— E esse policial não vai ser ouvido? — indaga Rita Soares.

— Ninguém sabe. Quem acusa é um traficante da pior espécie. Dificilmente vão dar crédito ao que diz.

— Mesmo assim gostaria de ver esse Paulinho "Boca Negra". Quero olhar pra ele, saber se tá mentindo ou não.

— Vou procurar me entender com o pessoal da Casa de Detenção, em Pedra D'Água, ver o que a gente consegue.

— Te esforça nisso, Clério, e não liga pra quem anda dizendo por aí que tua campanha tá sendo feita na base do cadáver da menina. Tamos cumprindo um dever.

— Só lastimo nisso tudo, Tiazinha, é que os pais de Aracelli não estejam decididamente do nosso lado — reclama Clério. — Isso enfraquece a luta. Por mais que se disfarce, parece de fato que tamos com intenção de explorar o acontecimento.

— Não te aflija. Vai dar tudo certo — afirma Rita Soares e se levanta, o garçom reaparece, Clério coloca algumas notas na mesa, o pessoal fica olhando aquela cigana, uns riem, outros acham que Clério partiu para a mandinga direta, a fim de eleger-se. Sai acompanhando Rita Soares, não tem tempo para conversas fiadas.

Rita Soares desce a rua de ladeira na Cidade Alta, resolve entrar na Catedral, prostrar-se diante de Cristo, recordar a Aracelli, que via de uniforme azul, e da menina sinistra em que se transformou, rosto roído, a boca um buraco negro, mas, ainda assim, um ar de riso dominando aquelas feições destroçadas, de pelos arrancados, cabelos amassados. E quando vai chegando ao pátio da Catedral e de suas torres trabalhadas, do silêncio que envolve a igreja e as cúpulas elevadas, o que vê é um altar gigante no meio do pátio e sobre ele o corpo da menina que estava no IML, só que havia crescido muito, ficara do tamanho do altar, com seus paramentos roxos e brancos, bordados em fios de ouro, sedas e cetins arrastando no chão.

Rita Soares ajoelha-se ali mesmo naquele princípio de noite que cobre as cúpulas mais elevadas, abre os olhos e vê que, de fato, está diante de Aracelli e que ela ri, e que seu riso inunda de uma frieza mortal aquele pátio. Concentrada como está nas suas orações, o desejo de Rita Soares é que aquela visão fantástica se afaste da praça, a fim de que possa entrar na igreja, e aí o que ouve é a voz da menina dizendo que a Matriz se fechava àquela hora, mas que estava ali para acompanhá-la, que viesse com ela, porque não queria ficar sozinha no escuro, tinha saudade de Radar e medo das casuarinas.

Rita Soares põe-se a chorar, a mulher que vem passando pergunta o que tem, não responde, e diante do altar com Aracelli estirada fica um tempão, até que os sinos começam a bater e tudo ao redor vai se diluindo e se apagando. Rita ergue-se, a noite é profunda, ventos frios sopram do leste, e ela tem uma longa caminhada pela frente. Enquanto desce o arrampado, as aragens do mar batem-lhe no rosto, e na cantilena dos ventos ainda ouve, nítida, a vozinha de Aracelli queixando-se do escuro e das casuarinas. Os pelos do corpo de tia Rita se arrepiam, e ela faz novamente o sinal da cruz.

QUATRO

Desde cedo o pessoal começou a juntar-se na pequena praça que, na verdade, não é nada mais que um entroncamento de duas ruas, no morro do Taboazeiro. Há mulheres novas e velhas, homens que retornam do serviço e crianças que gostam de Clério Falcão. O palanque onde ficariam os candidatos é modesto: umas tábuas atravessadas, dois alto-falantes, alguns cartazes com a sigla MDB, dizeres outros, alusivos à carestia, aos pequenos salários, à falta de oportunidade aos pobres. Os candidatos são numerosos. Um por um falam nas coisas que fizeram e das que farão como deputados. A multidão torna-se consideravelmente maior, e a iluminação é precária.

A velhota que usa muletas pede licença para passar no meio do povaréu e ficar bem perto do palanque. Chega finalmente a vez de Clério Falcão falar, as palmas repercutem pelas quebradas mais longínquas daquele morro triste.

– Tou querendo subir mais um degrau na escada política – diz Clério Falcão. – Não é pra me promover. É pra poder alcançar melhor os poderosos. Como vereador, procurei atingir o inimigo de atiradeira. Como deputado, já posso usar espingarda. A diferença é grande, pessoal. É por isso que a gente tá aqui.

As palmas interrompem o discurso. Clério ergue os braços, sorriso largo mostrando-lhe os dentes brancos.

– E quero usar espingarda pra acertar na testa dos matadores de Aracelli.

As palmas dessa vez são mais prolongadas. Além das palmas, há gritos de hurras de satisfação. Clério estusiasma-se.

– Não se admite que a Justiça só exista para os pobres. Não se admite que este Estado assista ao sacrifício de uma menina de braços cruzados, quando todos nós já sabemos praticamente quem são os criminosos.

As palmas, os gritos e assovios agora enchem aquela escuridão sem-fim, e os alto-falantes são impotentes para transmitir tanto entusiasmo.

– Todos aqui sabem que Clério não promete em vão. Vou fazer um juramento.

A multidão silencia. Não se ouve sequer um pigarro. Ventos brandos sopram no casario baixo, cães ladram distante.

– Que me matem em praça pública, que meus braços sejam arrancados e meus olhos furados, que minha língua seja atirada aos cães se, eleito deputado, não me transformar no maior acusador que os matadores de Aracelli já tiveram. Jamais esses criminosos, que pensam poder fazer o que bem entendem, terão um adversário tão fiel aos seus princípios. Não quero vingança para os que liquidaram aquela criança. Exijo justiça.

As palmas e os gritos interrompem o discurso. A velhota da muleta fica tão eufórica que tenta dar um pulo e cai, dois homens tratam de erguê-la, ela se levanta sorrindo, rosto macerado, olhos cansados, os dentes faltando na parte de cima do maxilar.

– Nós tamos de baixo. Tamos do lado em que os ricos cospem. Nossa desgraça é sua alegria. Mas por este crime os magnatas de Vitória vão se arrepender. E se, por acaso, a Justiça se abrandar contra eles, invoco aqui os nossos santos protetores pra que eles sofram os horrores do inferno nesta vida mesmo. Que seu sofrimento seja resposta ao nosso pedido. Se a justiça dos homens falha, Deus é grande e tudo vê. Iemanjá nos protege e nenhum mal será suficientemente grande que não se possa vencer. Nós não tamos com as mãos sujas de sangue, nós não procuramos riquezas. Queremos o riso das crianças e a tranquilidade de um lugar como este. Mas a tranquilidade só se alcança com luta, e a luta tem sido nossa mãe de leite.

As palmas enchem o espaço outra vez. Clério ergue os braços, os alto-falantes tocam marchas patrióticas, a multidão começa a dispersar-se, a velhota da muleta está perto do palanque, esperando Clério descer. Quer falar-lhe, chama-o de lado, a confusão ainda é grande, os grupos se formando, os garotos correndo de um lado para o outro.

– Quero lhe dar um presente, filho – diz a mulher.

Clério, muito alto, curva-se para saber que presente é. A velha de rosto macerado e dentes faltando na frente toca o polegar direito na língua e com a saliva faz o sinal da cruz na testa de Clério, depois repete o mesmo gesto na parte de trás da cabeça.

– Tu tá livre do mal. Daqui em diante vai ter muita gente contigo. Tua crença é nossa esperança.

Clério fica emocionado com os cuidados da velhota que não conhece, pergunta-lhe o nome, ela começa a rir, ele a abraça e beija.

– Minha mãe, minha mãe!

A velhota se afasta, outras pessoas cercam o candidato, as luzes que já eram escassas começam a apagar-se. Uma hora depois o morro do Taboazeiro está novamente em paz, entre os ventos do mar e a luz das estrelas.

A tarefa, no entanto, não terminou para a velhota da muleta, que teve paralisia infantil e a perna esquerda secou completamente. Veio capengando de longe, certa de que já conhecia o Clério Falcão de que tanto falavam. E, de fato, ao retornar ao barraco, dizia consigo que era exatamente como imaginara.

Empurra a porta, os cães acordam, ela vai à cozinha, remexe nas panelas, bota um caldeirão de ferro sobre a trempe de pedras, deixa o fogo das achas de lenha ficar alto, baixa para o chão um quadro de São José e na frente do santo guerreiro começa a preparar o que chama "o futuro do filho bem-amado".

A mistura no caldeirão ferve e exala cheiro adocicado, ela se move primeiro com o auxílio da muleta, mas depois, à proporção que entra em transe, equilibra-se na única perna boa, e os movimentos são ágeis, de bailado, som cavernoso saindo-lhe da garganta, mais um gemido do que uma cantoria. De vez em quando se agacha e bate levemente com a cabeça no chão, ergue-se de novo e junta as mãos para o alto. O cão preto, que não sai de perto, põe-se a uivar, e a mulher, a voltear o caldeirão cercado de labaredas. Pela madrugada, o fogo se apaga completamente, ela senta a um canto. Está suada, os olhos mais cansados ainda, os músculos dilatados do esforço feito.

O cão negro deita-se do lado. A velhota segura-se outra vez na muleta, mete a mão no caldeirão, enche-a com a mistura que passou um tempão fervendo, lança-a pela janela, pronunciando algumas palavras. Depois se estira na cama de palha e adormece.

Às 11 da manhã, enquanto a velhota ainda ressona, Clério já está falando com o pessoal da Casa de Detenção, a fim de que Rita Soares vá até lá. Todavia, a permissão para isso não é tão fácil quanto imaginara a princípio.

– O que se consegue com facilidade não é de boa qualidade – diz para si mesmo.

Após esse raciocínio, estranhamente, começa a recordar a velhota que chamara mãe, no comício, que tinha o rosto cansado e os olhos ausentes.

– Dai-me força, mãe preta – é tudo que diz e fecha-se na sala, onde há muita gente.

Pouco depois o telefone toca, o contínuo vem chamar Clério. É Tutênio dizendo que tem uma informação a dar.

– Vim da 3ª Vara Criminal. Tá um rebuliço danado na Superintendência. O dr. Waldir Vitral convidou o perito Carlos Éboli pra trabalhar no caso Aracelli. Sabe quem é?

Clério fica no ar. Já ouvira falar em Éboli, mas não tinha maiores referências dele.

– O Dudu conhece bem quem é. Parece que já trabalhou com ele – acentua Tutênio.

Clério volta ao lugar onde estava, a vontade é comunicar logo o fato aos companheiros, mas primeiro resolve confirmar a informação. Faz algumas ligações, descobre o comissário Rangel. Era verdade o que Tutênio dissera.

Os jornais saem no dia seguinte, anunciando a vinda do perito carioca e afirmando que o juiz Waldir Vitral está empenhado em que as investigações sejam completamente revistas. Junto ao noticiário, a ficha funcional do policial do Rio de Janeiro.

– Tu acredita que vá resolver alguma coisa? – pergunta Arturzão a Tutênio.

– É uma tentativa diferente, cara. O que não pode é continuar como tá. Uma porção de pobres-diabos sendo presos como suspeitos quando os acusados são outros e com eles ninguém mexe.

– Outros, como?

– Ora, deixa de ser bobo, rapaz. A cidade toda tá falando que os Michelini e os Helal tão na história. O comissário Rangel passou a bola pro Clério. E tem mais coisa circulando por aí que não se faz nem ideia. Os suspeitos, pé de chinelo, são ouvidos só pra disfarçar e ganhar tempo.

– Não acredito nisso – responde Arturzão.

– Problema teu. Que a verdade é essa, é. Quando tia Rita aparecer por aí, pergunta só pra ela. Tu vai cair duro com o mundo de histórias que já levantou. E te digo mais: há quem pense que a mãe da menina tem interesse em não reconhecer a filha. Que jogada é essa? Não sei. Já ouvi isso por aí. E a voz do povo é a voz de Deus.

– Olha o Clério, lá – diz Arturzão.

Tutênio mete os dedos indicadores na boca, incha as bochechas, fica vermelho, produz um assovio altíssimo, como só ele sabe fazer. Clério olha, Arturzão acena, chamando.

– O Éboli já confirmou o convite do juiz? – pergunta Tutênio.

– Acho que ainda não. Só amanhã ou depois. Encontrei o Dudu na praça dos Correios agora mesmo, e ele disse que o homem é da pesada. Não tem papo-furado.

Clério esfrega as mãos, sacode os braços, sorri.

– Fico tão satisfeito com isso que tenho vontade de sair cantando por aí. Eu sempre disse que o caso dessa menina vai longe.

– Eu também tou cansado de afirmar isso – diz Tutênio. – O Arturzão é que acha que não. Quem tem dinheiro pode botar na bunda de quem quiser e ficar por isso mesmo.

Arturzão se rebela contra a afirmação.

– Não disse porra nenhuma disso, cara. Tu deturpa o que se fala. O que tenho repetido é que por enquanto não há ninguém realmente suspeito. Ou não há ou a Polícia não descobriu.

– Não descobriu porque não quis. Tempo de sobra pra isso teve – torna a dizer Tutênio.

– O comissário Rangel me disse que tanto o filho do Michelini quanto um do Helal tão metidos na história.

– E o Fortunato Piccin? – indaga Tutênio. – Foi dopado pro hospital, morreu, estourou de tanto tóxico ou foi estourado?

– É difícil dizer. Tá tudo muito nebuloso. O que sei é que é mais um morto. Pode ser apenas coincidência, pode ser que não.

– Cadê seu Constantino Piccin que não se manifesta? – quer saber Tutênio.

– Ora, ora, meu caro. Não há pai que aguente tanta decepção. Sabe lá o que aquele homem já não sofreu com esse filho? – considera Arturzão.

– Vitória é fogo. O pessoal das patotas tá ficando louco, e o caminho é o crime – acentua Clério Falcão.

– Tia Rita já sabe da morte de Piccin? – pergunta Arturzão.

– Foi ela quem me contou, cara – diz Clério, batendo as mãos, rindo de não se aguentar.

– Tia Rita é uma parada indigesta – comenta Tutênio.

– E sabem o que ela tá querendo? Ir na Casa de Detenção, tentar ouvir o Paulinho "Boca Negra". O bandido que é acusado de ter morto Homero Dias, mas, ao mesmo tempo, aponta o PM Jair de Oliveira Garcia como autor do crime.

– E quem é que vai acreditar em bandido? – indaga Arturzão.

– Depende das evidências. Um delegado interessado no caso não pode desprezar nenhum ângulo da questão – argumenta Tutênio.

– O que não entendo é a ausência dos pais dessa pobre menina. Já se viu um negócio desse? – comenta Arturzão.

O Salão Totinho está cheio, um barbeiro que vem entrando pergunta a Clério pelo próximo comício, dá um cigarro a Arturzão, o motorista Sinval Ramos chega com novidades.

– Já souberam do porteiro do Apolo?

A expectativa é geral. Tutênio fica nervoso porque as coisas lhe parecem tão confusas que agora é sempre o último a saber dos boatos.

– Eu não sei porra nenhuma. Esses jornais não informam mais nada – diz Tutênio.

– Mas tu tá esperando ler essas coisas nos jornais? – pergunta Sinval Ramos. – Isso a gente sabe por aí, à boca pequena.

O motorista chega o rosto bem perto dos amigos e, como se transmitisse um terrível segredo, vai relatando o que ouvira contar a respeito do vigia Etelvino Rodrigues.

"Logo depois da morte da menina, apareceu um homem lá pelo Edifício Apolo, na Desembargador Santos Neves, na praia do Canto, por sinal, perto da casa dos Michelini. O cara era desconhecido e disse que tinha ordem para examinar a caixa-d'água. Etelvino estranhou que viesse realizar aquela tarefa já de noite. Acompanhou o desconhecido. O cara usava chapéu de abas e tinha costeletas. Quando chegaram nos fundos do prédio, o sujeito o agrediu. Surgiu um segundo tipo, de revólver em punho, e o dominou. Botaram venda nos olhos dele e esparadrapo na boca. Ajudado por mais dois, Etelvino foi arrastado para um carro que não pôde identificar. Rodaram um tempão com ele e o levaram a uma praia. Aí encheram o pobre de porrada. Como isso não tivesse dando resultado, mandaram ele tirar a roupa, deram mais porrada, enquanto perguntavam por que havia assassinado Aracelli. Pelo que soube, o vigia apanhou mais de meia hora. O cara que mais batia dizia sempre que ele era o matador da colegial. Após o espancamento, atiraram ele de volta no carro e o deixaram perto do edifício, com um aviso: se abrisse a boca, ia levar chumbo no lombo. Mas o homem tava apavorado e foi apresentar queixa à Polícia."

– Essa não! Onde nós estamos? – diz Tutênio.
– E o que foi que aconteceu com o cara? – quer saber Arturzão.
– Foi levado a corpo de delito, examinado e amoitado – responde Sinval Ramos.
– Tá acontecendo coisa por aí que a gente nem imagina – diz Clério Falcão. – Tão querendo de qualquer jeito encontrar um bode expiatório, mas parece que a coisa não é fácil.
– Amanhã os jornais vão badalar em cima do sequestro de Etelvino. O homem não tem nada com nada. Vive do empreguinho pra sustentar mulher e nove filhos.
– Foi no edifício que a Polícia encontrou aquela japona manchada de sangue, não foi? – recorda Arturzão.
– Foi lá mesmo. E a japona era do vigia. Só que ele não usava mais. Tava pendurada um tempão – explica Clério Falcão.
– Se havia dúvida, por que não fizeram exame de laboratório? – considera Tutênio.
– Ninguém tá interessado nisso, cara. A japona andou de mão em mão e terminou em nada. E quem sabe se até não trocaram por outra? Quem é que pode garantir? – argumenta Clério.
– Isso tá ficando uma enlinhada dos infernos. Nunca vi tanta confusão – diz Sinval Ramos.
– Tia Rita me disse que amanhã vai reiniciar as preces por Aracelli, lá no bairro de Fátima – informa Clério, mudando de assunto.
– Se for depois das oito, vou bater por lá. Acho correto que se reze pela menina – opina Tutênio. – Deus que me perdoe, mas os criminosos nesse caso deviam tudo morrer com câncer no cu. Pra ver o que é bom.
– Te guenta, irmão. Deus sabe o que faz – afirma Clério Falcão.

Sinval Ramos anuncia estar indo na direção da Vila Rubim, Clério decide ir com ele.

– É o tipo da carona que chega na hora certa.

Tutênio diz que é um crioulo de sorte. Arturzão mora no mesmo bairro, mas ainda vai demorar.

– Tou esperando pra ver se o "material" passa de novo por aqui. Se passar, hoje não escapa. Dou em cima.

Clério ri, Tutênio não perde a oportunidade para novas críticas, Arturzão responde irritado, a porta do táxi se fecha, daí em diante são as ruas movimentadas, os sinais e os ônibus muito cheios cortando os automóveis, as lâmpadas nos postes e as vitrines iluminadas.

CINCO

Duas vizinhas e seu Henrique Rato chegam à casa de Rita Soares conduzindo a imagem da Virgem de Fátima. A santa vem num pequeno andar, é depositada sobre a mesa, coberta com a toalha rendada. Mas tanto as vizinhas quanto seu Henrique Rato ficam surpresos ao encontrar Rita Soares sentada junto à parede, olhos vermelhos de chorar.

– Aconteceu alguma coisa? – pergunta seu Henrique.

Ela olha um ponto qualquer que parece distante, as vizinhas estão curiosas para saber o que se passa. Então, com uma calma que também não é seu natural, Rita vai falando, contando o que lhe acontecera no pátio da Matriz, quando a noite caía e a igreja estava fechada.

– Juro por Deus que vi Aracelli estendida num altar imenso e ela muito grande também. Por isso amanheci pensando que não tá no céu. Tá vagando por aí, querendo pedir alguma coisa pra gente. Dona Lola não devia ter viajado, seu Gabriel não devia ter ido pro Estado do Rio, Aracelli me disse que tá com saudade de Radar e medo das casuarinas.

Dona Terezinha põe-se a chorar, a outra mulher que Rita Soares não conhece mostra-se assustada com aquele relato.

– Isso é imaginação sua – diz ela.

Rita Soares olha-a com raiva.

– Imaginação? Vi a menina com estes olhos que a terra há de comer. Vi e cheguei bem perto.

O choro de Rita Soares recomeça, dona Terezinha agora chora alto, seu Henrique Rato diz algumas palavras sem sentido, nunca vira tia Rita naquele estado. E tanto ele quanto as duas vizinhas se retiram, deixando a Virgem de Fátima sobre a mesa e Rita Soares que não consegue controlar as lágrimas.

No silêncio da casa vazia, os pequenos brincando longe, a mulher vai ao terreiro e volta com as margaridas, ajoelha-se e começa a rezar. Mas a prece é interrompida por Tiziu, que vem chegando dizer que Aracelli chegou

Rita Soares leva um susto. Não sente ficar de pé, não sente os passos, pede que o filho repita, o garoto torna a dizer que viu Aracelli passar de farda azul e bolsa de couro, como ia todos os dias para a escola.

– Tava debaixo da amendoeira, fazendo uma gaiola, quando ela passou e falou comigo.

Rita Soares sai correndo, Tiziu fica na dúvida se acompanha ou não, duas ou três pessoas que estão pela rua àquela hora da tarde veem Rita correndo, o vestidão esvoaçante, os cabelos, entra pelo portão da casa dos Sanches, que nunca mais se fechara, encontra Radar nervoso, chama pela empregada, ninguém responde. Vai caminhando pelos compartimentos da casa e encontra os brinquedos de Aracelli sobre a cama, a boneca de que mais gostava coberta com um lençol de linho branco. Lembra-se perfeitamente de que antes da viagem Lola reuniu todos os brinquedos, guardou-os numa caixa, em cima do guarda-roupa. Agora os brinquedos estão ali, e isso a deixa perturbada.

Entra novamente em casa, Tiziu pergunta se Aracelli está bem.

– Não era ela, filho. Não era Aracelli que tu viu.

– Então quem era, mãe?

A mulher manda que vá chamar Tadeu e Tuca pra tomar banho, já está ficando tarde. Tiziu desaparece correndo, Rita Soares acende uma vela pelo descanso da menina que está só, precisando de amor e de justiça. Um galo que não era do seu quintal põe-se a cantar tristemente, a tarde anuvia-se de repente, e um vento forte sopra nos arbustos do terreiro, fazendo as margaridas cair. Os pardais levantam voo e as flores brancas da estreleira, que nunca vingavam, começam a abrir e a encher a tarde de um perfume suave. Rita Soares põe a água do café no fogo, fica esperando que os filhos apareçam para o lanche, já que naquela noite não lhes podia oferecer jantar.

Tiziu vem na frente dos irmãos e quando chega perto da mãe parece mais assustado do que nunca.

– Aracelli tá lá, mãe. Olha o que ela mandou pra senhora!

O menino abre a mãozinha morena, dentro está uma conta de vidro grande.

– Ela disse que se você olhar bem, vai ver o céu todo estrelado. Ela falou com Tadeu e Tuca. Convidou pra viajar com ela.

Rita Soares tenta interromper aquela conversa com o garoto. Ele pergunta intrigado:

— Aracelli não tá morta, mãe?
— Ainda não se sabe, filho. Não se tem certeza.
Quando terminam o lanche, manda Tiziu chamar mais crianças para a prece. Em pouco tempo aparecem os filhos de dona Terezinha, de dona Eduvirges, de seu Jovelino Teles, de Maria Pureza, de seu Antonino da quitanda e de dona Leontina. São aproximadamente umas quinze crianças, na maioria meninas. Rita Soares trouxe a imagem da Virgem de Fátima para o terreiro. Ali mesmo acendeu as velas. Havia escurecido, e só a lua e as flores na estreleira clareavam aqueles rostos infantis. Tia Rita perfila-se perante a imagem, a cujos pés queimam velas de cera. As meninas põem-se a cantar, e as vozes ecoam longe naquele descampado.

Seu Henrique Rato reaparece, chegam Tutênio, Clério Falcão e diversas mulheres da vizinhança. Rita Soares está tão embevecida na sua devoção que não percebe ao certo o tempo escoando. E, assim, cada adulto vai se ajoelhando ao lado de cada uma das crianças, e a ladainha se prolonga até as 10 horas. A imagem da Virgem de Fátima é novamente levada para dentro, e Clério Falcão procura animar o ambiente com seus ditos engraçados e bastante otimismo.

— Não fique assim, Tiazinha. Os grandões vão terminar no grampo. Agora é o doutor juiz quem tá exigindo mudança nas coisas.

— Fiquei assustada, hoje, com o meu menino mais velho — diz ela a Clério. — Chegou aqui afirmando ter visto Aracelli entrar em casa. Fui até lá e encontrei uma quantidade de brinquedos sobre a cama. Depois vim pra casa, e o pequeno chegou com a mesma história. E me deu esta conta, dizendo que Aracelli tinha mandado, — mostra a conta. É azul-clara, imitando água-marinha.

— A menina tá sem paradeiro, sofrendo pelas esferas.

— Não somos muitos, tia Rita, mas somos firmes no que queremos: justiça pros criminosos de Aracelli. Deixe que, quando a coisa engrossar, muitas outras pessoas virão formar com a gente — isso é Tutênio procurando reanimá-la.

Seu Henrique Rato também fala, diz que a cidade tá traumatizada. Tutênio afirma que a situação piorou depois da morte do sargento Homero Dias. Clério cita o caso de Fortunato Piccin e da sua morte repentina, no mesmo dia ou pouco depois do desaparecimento da menina.

– Mas não é só isso. A maldade humana vai longe. O Jovelino Teles me disse, ontem, que aconteceu uma coisa difícil de acreditar lá pros lados do Bar Resende, na esquina onde a menina costumava tomar o ônibus. O próprio Gabriel Sanches uma vez me disse que ela ficava ali a brincar com um gato, enquanto o ônibus não aparecia. Pois, ontem, o gato foi estrangulado e jogado num barraco abandonado. Sinceramente que não compreendo semelhante coisa – afirma seu Henrique Rato.

– Verdade? – indaga Clério.

– Não sei o que tão querendo dizer. Matar um bicho só porque foi da estima da menina, isso foge à compreensão – repete Henrique Rato.

– Essa corja precisa ter os olhos furados – argumenta Tutênio.

– Tomara que não façam a mesma coisa com Radar – acentua Rita Soares.

– Amanhã, Tiazinha, logo cedo, vou saber com o pessoal da Casa de Detenção o dia que a senhora pode visitar o "Boca Negra".

Tiziu e outros meninos trazem os bancos para a sala, o pessoal se vai, Rita Soares chega até o portão, mas um desalento geral a domina. Não sorri das brincadeiras de Clério, das grosserias de Tutênio. Manda Tiziu lavar os pés antes de deitar, senta-se ao redor da mesa e, na luz da vela que continua a queimar, põe-se a olhar a conta azul que Aracelli mandou. Coloca a conta em frente à luz e então vê, em tamanho minúsculo, o rosto de duas mulheres e dois homens. Quando afasta a conta, as imagens se apagam.

Rita Soares bota as mãos na cabeça e por um instante imagina ter ficado louca. Para certificar-se de que está em estado normal, procura rememorar fatos ocorridos durante o dia. Certifica-se de que não esqueceu de coisa alguma, nem adulterou nenhuma verdade. Aproxima a conta novamente da vela, lá estão os mesmos rostos. O da mulher que parece loura é o menos distinto.

Rita Soares enfia a conta num cordão, pendura no pescoço. Estica-se na cama ao lado dos filhos, custa muito a dormir. Os mistérios do dia foram por demais surpreendentes para deixar-se levar nas vagas do sono.

ONDE ESTÁ O FIO DA MEADA?

O homem da
máscara
de borracha

UM

A chegada do perito Carlos Éboli a Vitória é notícia para os jornais, emissoras de rádio e de televisão. Os comentários na porta do Salão Totinho e do Salão Garcia, na porta do Bar Carlos Gomes e em frente aos Correios aumentam; Tutênio mostra-se entusiasmado com a iniciativa do juiz Waldir Vitral e agora está certo de que o caso terá solução.

– Não te disse que a coisa ia virar? – diz, referindo-se a Arturzão.

– Vamos ver. Não solto foguete antes da festa começar.

– Pois então espera.

Carlos Éboli é um homem de idade, cabelos brancos, calvície aparecendo, óculos de aros grossos, acentuando-lhe o ar sombrio e um tanto preocupado. A Superintendência de Polícia e os demais setores da Segurança do Estado recebem ordens para que facilitem as pesquisas e informações.

– Ele vai ter de saber de tudo. Desde o começo. Ou faz isso ou tá perdido – acentua Arturzão.

– Claro que o homem vai se basear em fatos, cara. Tá pensando que, se fosse um bobão, tava aqui?

Arturzão faz algumas considerações sem importância, Tutênio não presta atenção.

– Vai se hospedar no Hotel São José. Será que vão botar uma guarda especial pra ele? Ele que se cubra direitinho – torna a falar Tutênio.

Éboli já conhecia Vitória. Inúmeras vezes fora àquela cidade dar cursos na Academia de Polícia e rever amigos. Por isso, as ruas, os pontos turísticos, os locais de encontro lhe eram familiares.

Os primeiros dias do perito na cidade são de contato com autoridades e funcionários encarregados de investigar o assassinato. Ouve histórias, fragmentos do caso, estuda papéis apontados como importantes. Mas nada daquilo lhe parece concreto e, assim pensando, decide fazer uma revisão total das circunstâncias em que Aracelli foi sequestrada e morta.

Começa pelo local onde acharam o corpo. Mete-se no matagal, salpicado de flores e cantos de pássaros, no pequeno caderno as notas em letras irregulares avançando no espaço branco.

A par da complexidade do caso em si, do misterioso desaparecimento da menina e dos despojos que estão no IML, começa a tomar conhecimento de ocorrências paralelas que tornaram o crime mais confuso. Falam-lhe da morte de Fortunato Piccin, do acidente com o sargento Homero Dias, do estrangulamento do gato que divertia Aracelli enquanto esperava o ônibus, da revolta do pai de Piccin e do sr. João Dias, pai de Homero. Falam-lhe do motorista Bertoldo Lima, que viu Dante Michelini colocar uma máscara, disfarçando-se de velho, e entrar no prédio da Polícia, a fim de entregar ao delegado que cuidava das investigações fragmentos de roupas encontradas na casa de Piccin. E sabe também que isso aconteceu após a morte de Piccin.

No primeiro dia em que trabalha firme no caso, Éboli retorna ao hotel com a cabeça estourando de dor. Está exausto e confuso. As histórias não se ajustam e tem certeza de que alguma peça de muita importância falta em todo aquele elenco de aberrações. Uma noite quase toda, fica deitado, olhando o teto do apartamento, pensando na atitude de Dante Michelini.

Não concebe que um homem inteligente possa, às duas da tarde, descer de um carro com uma máscara de borracha no rosto e entrar numa repartição oficial, para falar com uma autoridade. A menos que a autoridade soubesse com quem, na verdade, estava tratando. Mesmo assim, era difícil entender tal situação. O estrangulamento do gato era outra coisa extravagante, sem falar na morte do sargento Homero Dias, um policial do Serviço Secreto correndo atrás de bandido por dentro do mato. E mais intrigado ficava quando revia os apontamentos feitos durante o dia, e lá estava dito que o delegado Manoel Araújo não chegou a ouvir o sr. Constanteen Helal, porque uma ordem do Palácio Anchieta o impediu disso. De quem partira semelhante orientação? A ordem existia, ou era apenas uma intriga para envolver o governador Gerhardt Santos?

Éboli sente a cabeça rodar. Há muito tempo não topava com um caso tão contraditório e tão diabolicamente armado. Mesmo assim, continua intrigado. Todas as peças do jogo encaixavam-se bem, menos uma. E que peça seria essa? Que detalhe tão importante estava por ser descoberto?

Pela manhã, Éboli retorna à Superintendência de Polícia, fica sabendo de novos fatos: que o primeiro delegado encarregado do caso foi o capitão Manoel Araújo. Por causa de pressões e incompreensões de políticos locais, especialmente da Oposição, terminou pedindo transferência do cargo, sendo substituído por Celso Piantavinha, e este, mais tarde, por Sebastião Ildefonso; que o superintendente Barros Faria determinou a abertura de inquérito para apurar o desaparecimento de filmes dos arquivos da Polícia e que o fotógrafo Elson José dos Santos terminou sendo suspenso de suas atividades por trinta dias.

Esse fato deixa Éboli bastante preocupado.

– Sumiram os filmes feitos no local em que o corpo foi encontrado?

– Os filmes, os levantamentos gráficos e até um par de luvas.

Carlos Éboli rabisca a folha do bloco enquanto o policial vai relatando detalhes.

– Quer dizer que a esta altura, o que temos é um corpo na geladeira?

– É a verdade – acrescenta o funcionário.

Quando o novo delegado responsável pelo caso chega, Éboli é levado a sua presença. Trata-se de Sebastião Ildefonso.

– Estamos praticamente na estaca zero, mestre.

– É o que já senti – responde Éboli. – E as histórias fantásticas que contam por aí?

Ildefonso é prudente. Não sabe por onde começar.

– Muita gente acha que pode provar o que diz. Já soube do motorista Bertoldo Lima?

– É uma verdadeira novela! – acentua Éboli.

– Sinceramente também ainda não estou entendendo. Por mais que se trabalhe, não se chega a uma conclusão.

Os dois homens saem da sala, Éboli pede que uma viatura o leve até o colégio onde a menina estudou, no lugar onde tomava o ônibus, as ruas por onde costumava passar. Sebastião Ildefonso facilita ao máximo o trabalho de Éboli, e em poucos minutos o perito está diante do Colégio São Pedro, na praia do Suá. Examina a rua larga, de pouco movimento, segue a pé até a saída na avenida Nossa Senhora da Penha, de tráfego intenso, em ambas as mãos de direção. Depois vai ao Bar Resende, mantém-se um tempão no Bar Esquina, ao lado do Bar Resende, onde Aracelli costumava entrar para tomar sorvete. Olha cada funcionário, faz perguntas. Uma semana depois, havia feito levantamento completo na casa de Fortunato Piccin e também nada encontrou que pudesse reforçar a história do velho que levara os fragmentos de tecido. Lê e relê os depoimentos de cada um dos suspeitos. O gari que perdeu dois dedos da mão e terminou sendo arrolado como suspeito, o motorista da Kombi, vários pretos velhos. A carta de Alexandre Stuart querendo extorquir Cr$ 100 mil da família da menina também é cuidadosamente examinada. No final do décimo dia, Carlos Éboli tem total compreensão do problema, mas argumenta que, por falta das provas e dos filmes, seu parecer será muito difícil. Fica em dúvida, igualmente, quanto ao material entregue à Polícia pelo sargento Homero Dias. Seria só aquilo ou peças importantes haviam sumido também? O pai e a mulher do sargento falam no amplo levantamento que fizera e, na verdade, o que estava em poder das autoridades não era nada assim tão relevante. O sargento estaria blefando? Por que agiria assim? As provas foram propositalmente destruídas, a fim de beneficiar novos suspeitos?

Enfrentando todas essas dúvidas, Carlos Éboli vê chegar seu último dia de pesquisas em Vitória. Aí faz um relatório das atividades e entrega-o ao juiz Waldir Vitral.

"Um pária que apenas objetivava brutalizar a menor – diz ele – não teria recurso pessoal e de amizade para fazer desaparecer de uma repartição da Polícia todos os filmes que retratavam a vítima em detalhes e o local onde ela foi encontrada, vários dias depois do desaparecimento. Foram-me negadas as peças mais importantes, que, depois de bem analisadas, poderiam autorizar o reinício das investigações sobre a morte da menina Aracelli.

Não escondi do senhor superintendente a minha surpresa ante o fato tão grave, que parece fora de objeto de investigação interna e que estava até aquele momento sem qualquer solução. Por outro lado, tive conhecimento de que peritos oficiais não lavraram o laudo, nem a entrega das provas fotográficas, peças que aguardavam há mais de ano.

Fiz ver ao sr. Gilberto Faria – prossegue Éboli – que, em casos de tal natureza, o desaparecimento das fotografias objetiva o impacto que podem causar, notadamente nas autoridades judiciais, que são levadas a agir sob justificada revolta, impondo medidas rigorosas sem qualquer transigência.

Lamento não ter sido possível prestar a colaboração na medida do interesse de V. Exa., mas estou inteiramente à vontade de justificar a inocuidade de minha intromissão no caso, por isso me foram negadas as peças repudiadas mais importantes na espécie, as únicas que poderiam, depois de bem analisadas, autorizar o reinício das investigações sobre a suspeita da desventurada menina.

O fato em si não lamento apenas como perito consciente e sempre preocupado com os assuntos da especialidade, mas também como cidadão que tem diante dos olhos a trágica cena de um acontecimento que traz todas as características de um bárbaro e asqueroso crime, do mesmo estando impunes os responsáveis.

Hoje estou convencido de que serão necessárias medidas não apenas severas, mas que traduzam o peso do interesse da União no assunto, para que se chegue a um resultado palpável no caso Aracelli.

Na impossibilidade de fazer mais do que fiz, aqui dou apenas um testemunho e continuo sempre à inteira disposição de V. Exa. e da magistratura do Estado, que tem dado provas de seu apreço pelo meu modesto e discreto trabalho."

Carlos Éboli afasta-se do caso preocupado com a trama que se avolumava por trás das irregularidades. Num dia de setembro de 1974, ao tratar de outro processo envolvendo pessoas de Vitória, convoca o perito Asdrúbal Cabral a ir ao Rio. Nessa oportunidade, coloca-o a par do que chama um emaranhado de situações desencontradas, de intrigas e corrupção.

Asdrúbal Cabral, tranquilo e meticuloso, ouve pormenores que o colega mais graduado no ofício relata. E há pontos em que Éboli demonstra surpresa total.

– Na imprensa, na época, nada disso foi divulgado – afirma Asdrúbal, que os amigos chamam Dudu. – Por isso fiquei sem saber de muita coisa. Concordo com você quando diz que um pária não teria influência para fazer sumir documentos da própria Polícia.

E o relato de Carlos Éboli se alonga, principalmente no que diz respeito à má vontade com que fora recebido pelo superintendente Barros Faria.

– Isso é mais grave do que parece, Dudu.
– E Homero Dias chegou a suspeitar desse pessoal importante?
– Creio que sim – afirma Éboli. – Me disse o sr. João Dias que o filho vinha trabalhando no caso há meses. Por sua vez, dona Elza Dias afirmou ter ouvido o marido citar nomes importantes envolvidos no crime.
– Então o caminho é começar tudo de novo.
– E a partir de quando? – indaga Éboli.
– Amanhã mesmo ou depois.
– Pode contar com a ajuda de Sebastião Ildefonso. Vou pedir ao dr. Waldir Vitral que faça as apresentações. É um bom delegado. Jovem, consciente e interessado. Se, desde o começo, o caso estivesse com ele, a situação agora seria outra.
– Onde estaria o fio da meada? – quer saber Dudu.
– Servindo o Exército, no Rio. Chama-se José Eduardo. É o filho mais novo de Dante Michelini. Teria conhecimento do caso. Quem sabe se, partindo dele, não se chega a novas conclusões?
– É uma ideia.
Carlos Éboli ainda tem uma indagação a fazer. Dudu sente seu embaraço.
– Alguma novidade além das que já conhece?
– Quem é aquele candidato a deputado, muito falador? – pergunta, finalmente, Éboli.
– É o Clério Falcão. Barulhento mas sensato.
– Isso é bom. Tava preocupado com ele.
Éboli faz uma pausa, anda de um lado para o outro do laboratório, ainda tem uma dúvida que o inquieta, mas Dudu nota que não deseja se abrir. Despedem-se, o perito capixaba vai caminhando pelas ruas, a passos lentos, o pensamento trabalhando no caso. Os carros passam por Dudu, as pessoas desconhecidas esbarram nele, olha aqueles rostos nervosos, duros, misturados a muitos outros, às cores fortes das vitrines, ao néon dos anúncios luminosos.

DOIS

– Já sei, já sei. Não precisa nem falar.

Dudu fica meio encabulado. Há uma semana, na junta eleitoral, fora apresentado pelo juiz Waldir Vitral a Sebastião Ildefonso Primo. Agora o delegado mandava chamá-lo e dizia aquelas coisas.

– Éboli me telefonou, ontem à noite. Falou do teu encontro com ele, acha que pode nos dar uma mão.

– Expliquei a ele minhas limitações – argumenta Dudu, de pé na frente do delegado.

– Deixa de histórias. Não é hora de modéstia. Temos de arregaçar as mangas. O caso da menina tá aí, desafiando todos nós. Por mais que procurem encará-lo como rotina, é impossível.

– E qual é o plano?

– Muito simples – afirma Ildefonso Primo: – Começar tudo de novo. O trabalho feito tá praticamente comprometido.

– Tem alguma ideia?

– Acho que sim.

– Qual seria?

– José Eduardo, filho mais novo de Michelini. Tá servindo o Exército, no Rio. A segunda opção é o motorista Bertoldo Lima. Viu Dante entrar na Superintendência de Polícia usando uma máscara.

– É capaz de confirmar isso, diante de uma autoridade?

– Acho que sim. Por isso precisamos levá-lo ao laboratório de Éboli, no Rio, a fim de fazer uma gravação. Um papo informal, e a gravação estará sendo feita, sem que perceba, morou?

– Então, que tamos esperando?

O delegado prepara-se para deixar a sala, Dudu o convida para um trago, ele está indisposto, manda que guarde o convite para outro dia. Andam um pouco pelas ruas, depois Dudu segue sozinho na direção da mercearia Giarnordoli, na rua Gama Rosa. Chega fora de hora, Tilim o atende com a mesma calma e paciência de sempre. Dudu pede uma dose de conhaque, toma a bebida em pequenos goles, fica olhando o espaço amplo na frente da mercearia, uma espécie de pracinha sem características definidas, olha a casa na esquina, com o letreiro de padaria, onde a garotada que puxa maconha se reúne, ouve-lhes os risos, os ditos engraçados, as brincadeiras grosseiras, os carros que arrancam cantando pneus no asfalto. Olha, mas o pensamento está distante, naquele dia em que Éboli foi lhe falando de fatos surpreendentes, ocorridos ali mesmo, e dos quais pouco ou nada sabia.

Os conhecidos aparecem, Tilim bota mais uma dose no copo de Dudu, ele ouve o que dizem ao redor, mexe-se de um lado para outro, naquela mercearia atravancada de caixas de batatas e cebolas, engradados de cerveja e refrigerantes, latas de biscoitos empilhadas, e em tudo um cheiro de coisa muito antiga se levantando, encompridando-se como o balcão de madeira escura com uma pedra de mármore por cima, cantos de paredes recobertos por prateleiras de garrafas com rótulos apagados, teias de aranha bordando-se nas letras, objetos sem uso pendurados no teto encardido.

– Tá de carro aí? Tava querendo dar uma chegada na casa de Bertoldo Lima.

– Então vamos tomar a saideira.

– Não vai atrapalhar tua vida?

– Coisa nenhuma.

Atravessam a praça, entram no Volkswagen. Enquanto o carro dobra esquinas, sobe e desce ladeiras, Dudu vai explicando. Chegam, finalmente, na rua muito larga, sem calçamento.

– É um pouco mais pra lá.

O carro estaciona, as luzes apagam, por uns instantes Dudu sente a brisa do mar soprando-lhe o rosto, os cabelos lisos esvoaçam, uma mulher vem passando, pergunta por quem procuram.

– Bertoldo Lima.

– Acho que não tem ninguém aí.

Dudu bate na porta, na janela. Torna a bater, um cachorro ladra na casa do lado, o homem aparece.

– Bertoldo Lima?

– Que desejam?

– Sou o perito Asdrúbal Cabral, este é um amigo.

Bertoldo abotoa a camisa, convida-os a entrar.

– Quais são as novidades? – pergunta Bertoldo.
– Viemos aqui pra que nos conte – responde Dudu.

Bertoldo parece imperturbável. Levanta-se, encosta um pouco a janela para evitar o vento frio, retorna à cadeira.

– Praticamente não sei de nada – começa ele. – Vi um dia de tarde o Dante Michelini botar uma máscara de borracha na cabeça e entrar em companhia do irmão Jorge na Superintendência de Polícia. O que fizeram por lá não sei. Depois ouvi os comentários a respeito da menina, que, por sinal, morava aqui perto, nesta mesma rua.

– Calma! – diz Dudu, erguendo as mãos. – Não vim aqui pra isso.

Bertoldo mostra-se desconcertado. Cruza as pernas, os olhos estão atentos.

– Eu e Ildefonso – afirma Dudu – tamos querendo dar uma esticada até o Rio, qualquer hora dessa. Acontece que não sei dirigir e não confio em Ildefonso Primo numa estrada como a BR-101.

– Quando tão querendo ir?

– Depende aí de uns negócios. Lá pela semana que vem torno a te falar. É coisa rápida, e tu pode embolsar uma nota extra.

– Que carro pretendem levar?

– Ora, ora, um Fusca. Se enche o tanque aqui e vai reabastecer quando chegar em Niterói. O carrinho tá bom, papelada em dia.

Bertoldo oferece café, Dudu e o amigo agradecem.

– Semana que vem apareço de novo e se fala de tutu.

Na volta, pela mesma rua São Paulo, ele não se aguenta calado.

– Pensei que fosse mais difícil. Não parece mau sujeito.

– E tem peito. Afirmar o que tá dizendo dos Michelini não é moleza.

– Bertoldo é duro na queda.

O carro passa novamente pela frente da casa onde morava Aracelli, entra na estrada estreita, cercada de mato em ambos os lados, sai no descampado, onde estacionam os tratores que durante o dia aplainam uma faixa do terreno. Enquanto o amigo fala de aspectos do caso que não têm nada de verdadeiros, Dudu relembra fatos que poderiam gerar bons resultados.

– Tou quase certo de que essa menina não foi sequestrada do ponto de ônibus. Os sequestradores esperaram por ela na primeira esquina depois do colégio. Ela chegou na avenida Nossa Senhora da Penha, eles deram em cima.

– Em plena luz do dia?
– O que tem isso? Dudu salta do carro, some na rua sombria, sobe a ladeira na direção da Catedral e do edifício Açores. A porta do apartamento abre, acende uma lâmpada, estira-se na poltrona, fica um tempão naquele silêncio, cercado de paredes familiares, de quadros e bibelôs, vagos rumores próximos, em tons cinza longínquos.

As palavras que dissera a Bertoldo Lima ainda ecoam-lhe aos ouvidos. Tem certeza de que nada desconfiara. Dirigiria o carro até o Rio e depois se transformaria num companheiro de andanças. Visitariam diversos lugares, entre outros a casa de Éboli.

"É o melhor, para reinício das investigações. De mais a mais, se gravamos o que diz de Michelini, isso será um passo importante na elucidação do caso."

Tira calmamente os sapatos, entra pelo corredor até o quarto onde a mulher está deitada, após alguns dias de enfermidade. Acomoda-se de um lado do colchão com muita cautela, adormece pensando na manobra que começa bem-sucedida. No dia seguinte, bem cedo, procura entender-se com Ildefonso Primo e então tem uma suspresa.

– Vamos, amanhã mesmo, pro Rio. Só que vamos de ônibus. Eu e você. O Éboli acabou de dar a dica. Não vai ser muito difícil localizar o Zé Eduardo. Se passa lá uns dois dias. Depois volta e pensa na viagem com o Bertoldo.

– Com ele já tá tudo arranjado. É só marcar o dia.

– Logo que se volte, pode marcar – afirma Ildefonso Primo.

Dudu sai da sala onde os telefones tocam com frequência, o policial entra com a velhota de bastão e sacola.

– Ela quer levar um plá com o delegado.

– Senta aqui, vovó. Vamos já falar.

A velha tem ar distante, não parece intranquila de estar naquele lugar com tantos telefones, discussões surgindo pelos menores motivos, policiais subindo e descendo escadas.

– Vim aqui mandada pelo Caboco Zimbaê.

Ildefonso Primo faz ar de riso, mas logo fica sério.

— O caboco me disse que vocês têm de providenciar o sepultamento dessa menina, pra que sua alma descanse. Se isso não for feito, a cidade vai ver muita desgraça acontecer.

— E que tipo de desgraça, vovó?

— Quem viver, verá — acentua ela.

A velhota não gosta do policial que se aproxima com ar de deboche. Por isso, levanta-se, pega a sacola e o bastão, sai da sala.

— Se for dar atenção pra essas malucas que baixam aqui, não se faz mais nada — argumenta o policial, cabo do revólver aparecendo no coldre.

— Não sei se tá certa ou errada — responde o delegado.

O telefone toca, Ildefonso Primo atende, dá explicações, desliga, outro homem aparece, chama-o para a sala do lado. Aquela era a rotina da repartição, sempre muito movimentada.

A caminho da Rodoviária, Dudu calcula a hora de saída de Vitória, a fim de não chegar muito cedo ao Rio.

"Lá pelas 10h30 é uma boa hora. Toma-se um café reforçado e vai procurar o Éboli. Traçam-se os planos pra localizar Zé Eduardo."

TRÊS

O delegado Ildefonso chega à Rodoviária apenas com uma maleta, pois a viagem não seria demorada. Decepciona-se um pouco ao perguntar a Dudu se tinha conseguido ônibus leito, ao que este responde:

– A grana mal deu pra poltrona comum. Foi a conta.

Faz ar de riso, diz que na volta talvez fosse possível maior conforto.

– Deixa pra lá. O importante é se fazer aquele moço dizer alguma coisa – considera Ildefonso.

Metem-se no ônibus, ficam alguns momentos sem ter o que dizer, passageiros retardatários entrando e procurando os lugares, o carro já com o motor ligado, o motorista paciente esperando.

Dudu ouve o companheiro dizer coisas vagas, que não têm nada a ver com o caso, às vezes estava distante, olhos perdidos na noite de estrelas e silêncios.

Quando as perguntas de Ildefonso se referem a Aracelli, é obrigado a relembrar pesquisas, fazer longas considerações.

– O Éboli tá certo. Os responsáveis pelo assassinato não são do bloco dos pés de chinelo. É gente de posse, que pode incentivar a corrupção. Lembra bem aquela conversa do Barros Faria? Chegou eufórico de Brasília, afirmando ter uma bomba a respeito do caso. Gente boa envolvida na trama. De repente, o homem muda de papo e diz que um preto velho era o principal suspeito. E aí surge a história do Bertoldo Lima, surgem as Kombis de Michelini rodando pelas ruas, convocando a população a localizar a menina. E quando os jornais saem com a declaração do superintendente de Polícia, novamente Bertoldo Lima testemunha, o Jorge e o Dante Michelini comprando uma porção de jornais pra distribuir pela cidade. Que desusado interesse é esse? O que essa gente pretende com tantos cuidados? De que estaria se cobrindo, senão de uma suspeita?

– A coisa tá cada dia mais enrolada – afirma Ildefonso Primo, reclinando a poltrona.

– E ainda que se encontre a chave de tanto mistério, pode estar certo de que vai ser difícil – considera Dudu.

– Vamos ver se lá pelo Rio a gente consegue um jeito de fazer o José Eduardo falar.

– Mesmo que se consiga localizá-lo, não vai querer se abrir. A não ser que fosse debaixo de pau.

Numa parada que o ônibus faz, alta madrugada, Dudu olha a poltrona do lado, Ildefonso Primo está no terceiro sono. Desce para tomar um café, mas não chama o companheiro, mistura-se ao povaréu que faz fila diante de um guichê. Olha as vitrines, as caixas de bombons para presente, os chapéus e as bolsas exóticas, imagina comprar um presente para a mulher, lembra que o dinheiro está mais curto do que nunca, logo que chegassem ao Rio teriam de virar-se para conseguir alguma grana, do contrário até a viagem de volta seria impossível.

Retorna ao seu lugar quando o motorista dá o sinal de partida. Ildefonso continua dormindo. Acende um cigarro, fica acompanhando o ruído do carro naquela estrada que parece um rio escuro. E, não sabe por que, põe-se a recordar a Vitória antiga, que conhecera em criança, de ruas e praças tranquilas, de pessoas que se respeitavam e eram solidárias.

– Me dê uma ajuda, branco.

Ninguém se recusava. Vitória mudou de cara e agora tem olhos maus, mãos de garras prontas a exterminar os mais fracos.

– Me dê uma esmola pelo amor de Deus!

A mulher expõe a ferida na perna, varejeiras voando, ela abanando com a mão e aquele mundo de gente indiferente, uns chateados de ela estar ali atrapalhando a passagem, outros desejando que a Polícia apareça, faça a vagabunda sumir.

Lembrando de tudo que foi bom em Vitória, dos colegas que teve e que, com o tempo, também se modificaram, Dudu vai se enchendo de mágoa da cidade que tanto ama e sente estar evoluindo no erro, como tantas outras. E naquele ônibus de motor zunindo, naquela poltrona confortável vencendo o negrume da rodovia a quase 100 km por hora, lamenta que nada de extraordinário possa fazer para que a multidão que invadiu a cidade pare e ouça. E sempre que imagina essas coisas também pensa na mulher da qual tanto lhe falara Éboli.

– É uma espécie de visionária, alta e morena, com vestido comprido e argolas nas orelhas. Sabe de muita coisa e não se dobra a subornos.

Ildefonso Primo desperta, ergue-se na poltrona e pergunta onde estão. Dudu não sabe ao certo.

– Qual é a figura popular que ainda conhece em Vitória? – pergunta de repente. Ildefonso Primo fica sem entender.

– Popular em que sentido?

– Dessas como antigamente, que os moleques corriam atrás, gritando pelos apelidos.

Ildefonso Primo procura raciocinar, passa as mãos no rosto cansado.

– O único que às vezes ainda encontro é Otinho.

– Otinho eu também conheço. Sempre fazendo poemas. Qualquer coisa o inspira.

– Que é que há, Dudu! Tá te sentindo bem?

– Claro que tou. Como não pude dormir, fiquei pensando nas coisas simples da nossa cidade. E fiquei com pena dela. Como se tem pena de uma pessoa. Não sei se já te ocorreu isso alguma vez.

Ildefonso não entende aquele papo, afunda-se outra vez na poltrona.

– Me acorda quando a gente tiver chegando em Niterói.

Horas depois as estrelas que se distanciavam no horizonte iam afundando, uma a uma, nas águas claras da aurora, e os morros de encostas escuras e dorsos reluzentes eram como elefantes deitados à margem de um caminho imaginário.

Dudu encosta a cabeça no vidro transparente e vai vendo, aqui e ali, perdidas no matagal, as casinhas de chaminés fumaçando. Junto às casas, os animais que enfeitam aquela paisagem ainda sonolenta: galos, carneiros, bois, cabras.

No trecho da estrada ladeado de eucaliptos, chama Ildefonso.

– Tamos chegando. Isto aqui já é Tribobó.

– A primeira coisa que se vai fazer é procurar um parente que tenho em Caxias – diz Ildefonso Primo. – Arranco uma grana dele pra se poder andar no Rio.

Dudu, que também está com o dinheiro contado, ouve aquilo e deseja que tudo dê certo.

Após quase sete horas de viagem num ônibus que apresentava relativo conforto, enfrentavam outro que não tinha nada de limpo, as molas apontavam no estofamento, e o motorista entrava aos trancos e barrancos pelas quebradas procurando atingir a pista de asfalto. O ônibus segue com destino a Caxias, onde estão as esperanças dos dois policiais capixabas. A vontade de chegar logo à casa do parente de Ildefonso é tanta que não se importam com o desconforto da condução, nem com as maluquices do motorista, um tipo avermelhado, de barba por fazer, olhos maus no rosto vincado.

Andam pela rua que Ildefonso Primo conhece, batem numa porta, ouvem o ladrar de um cão, e a mulher que aparece sorri, manda que entrem. Mas a pessoa que o delegado procura não está.

– Viajou ontem mesmo. Volta semana que vem.

A mulher é agradável, oferece café, eles aceitam, mas o pensamento de ambos está baratinado com aquele fora, Dudu imagina fórmulas novas de escapar ao cerco invisível, Ildefonso julga-se um perseguido do destino, tivera um pressentimento enquanto dormia, agora tinha dúvida quanto ao desenvolvimento da missão.

– Nada disso. Vai dar tudo certo. Peço dinheiro ao Éboli. É uma emergência.

Decepcionados e um tanto tristes, chegam novamente à rua, a mulher simpática vem deixá-los no portão. Ildefonso está realmente chateado. É tarde, o estômago ronca de fome, e não há como entrar num restaurante, pedir um bife acebolado, uma cerveja bem gelada.

Dudu mete as mãos nos bolsos, cata os trocados.

– Calma. Ainda dá pra gente comer umas esfihas. O que sobra é pra tomar o ônibus até a casa do Éboli.

– Onde ele mora?

– No Rio Comprido. Se salta na praça Mauá e toma outro que vá até lá.

Embora a perspectiva não seja das melhores, entram numa lanchonete, encostam-se no balcão, a mocinha bota café com leite nos copos, entrega-lhes duas esfihas envolvidas num papel grosseiro.

– Vejam só como andam os policiais brasileiros!

Dudu fala enquanto morde a esfiha, bebe lentamente o café quente olhando a rua por onde os carros passam, as pessoas se aglomeram, um camelô grita suas novidades numa ponta de calçada, mostra aos curiosos o avião que ergue voo, dá duas ou três voltas por cima das cabeças incrédulas, depois volta a pousar na sua mão.

Ildefonso olha a malandragem do camelô, tem vontade de dizer a Dudu que já está cansado de tudo aquilo, da falta de conforto e segurança em que trabalha, mas termina não se queixando.

– Juntar-se aos corruptos é fácil. Difícil é levantar-se contra eles – argumenta Dudu, embora Ildefonso Primo não saiba bem por que motivo, pois continua pensando numa porção de coisas de modo vago e, ao mesmo tempo, olha o camelô que opera prodígios com o aviãozinho ensinado.

QUATRO

A roda dos que discutem, na porta do Salão Totinho, é animada. Os personagens principais são Tutênio e Arturzão. Contracena com eles, no mesmo grau de exaltação, o candidato a deputado estadual pelo MDB Clério Falcão. Alguns outros frequentadores assíduos daquele ponto de encontro discutem, mas não de forma tão apaixonada quanto os três.

– Dou a bunda se o Dudu não tá com o Ildefonso Primo lá pelo Rio, arrumando uma boa cama pros filhos da puta daqui. Foram tentar ouvir o tal do Zé Eduardo, que tá servindo o Exército.

– E o que é que ele tem com o caso? – indaga Arturzão, irritado.

– O que tem? O homem tá por dentro, cara!

– Teu mal é abrir a merda dessa boca e acusar todo mundo.

– Só falo do que faz sentido. É lógico que o Paulinho Helal tá sendo acusado, o Dantinho também e o irmãozinho caçula deve saber alguma coisa. Ou tu tá pensando que Dudu e Primo dormem de touca?

– Investigar o caso é uma coisa; apontar os rapazes como culpados é outra, completamente diferente.

– Acontece que as evidências tão indicando isso, irmão – acentua Clério.

– Evidências nem sempre conduzem ao fato.

– Então a Polícia não pode trabalhar. Os detetives só podem efetuar prisões em flagrante – considera Tutênio.

– O interesse do Dante Michelini no caso foi que deu pra desconfiar. Além disso, já há quem afirme que uma namoradinha do próprio Paulo Helal tá disposta a ir à Polícia contar tudo. Essa moça teria presenciado encontros de Paulo Helal com Aracelli.

– Taí! O que Clério tá dizendo é a pura verdade. Eu também ouvi falar nessa mulher. Se resolver mesmo abrir o bico, o nosso *playboy* tá perdido.

Tutênio dirige-se, mais uma vez, a Arturzão, que se deixa tomar por verdadeira crise de nervos.

– Por enquanto, tudo que tão dizendo é boato. Não provam porra nenhuma. O Clério tá querendo se eleger. Tu fala de gaiato, porque ainda não encontrou quem te quebre essa boca nojenta.

– E por que tu não quebra, se é macho?

Arturzão faz menção de avançar contra Tutênio, Clério se mete no meio, outros tipos que discutem tomam a mesma iniciativa.

– Se estranhando? Os caras que são acusados, vocês que se desconhecem?

– Tou pra deixar de falar com esse imbecil – afirma Tutênio.

Arturzão faz que não ouve, prossegue defendendo seu ponto de vista.

– Não tou do lado deste ou daquele. Quero evitar acusações gratuitas, porque até agora a verdade é que a Polícia tá tonta. Não sabe merda nenhuma ou se sabe tá escondendo o jogo.

– Pois a mocinha de quem falei existe. Não é invenção. E como existe, vai botar a boca no mundo – afirma Clério Falcão, enquanto Arturzão contra-argumenta.

– Duvido muito. Só vendo.

– Esse tipo é tão nojento – volta Tutênio a atacar Arturzão – que já nem gosto de falar porra nenhuma. Não há nada pior do que se conversar com ignorantes. Ele tá bestando por aqui e nem sabe que a mãe da menina voltou ontem de viagem, já foi, hoje, à Polícia, e ninguém soube lhe informar como vai o caso. A mulher passou várias semanas fora, volta pra saber se já pegaram os matadores da filha, e a turma que ganha pra isso tá ausente. Ninguém sabe de nada. Te coloca no lugar do pai da criança e vê o que tu ia fazer.

– Tu tem a mania de torcer o que se diz. Não tou dizendo que não sinta a infelicidade da menina e da família. O que sempre afirmei aqui é que se deve procurar os culpados, confirmar se são culpados mesmo e depois pendurar de um a um numa árvore. É isso o que desejo pros criminosos – repete Arturzão, o rosto vermelho, as veias do pescoço inchadas.

– E é o que de fato merecem. Só que tenho certeza, pelo que estou informado, que o Dante Michelini Júnior e o Paulo Helal são os maiores suspeitos. E a coisa se complicou quando o sargento Homero Dias foi morto pelas costas e quando se anunciou que um dos elementos da patota de Michelini e Helal, o Fortunato Piccin, morreu drogado, quase que ao mesmo tempo em que a menina sumia no caminho de casa.

– Taí! Como tu explica isso? – pergunta Tutênio a Arturzão, aproveitando-se das afirmações do candidato a deputado.

– Vamos ver. Vamos dar tempo ao tempo.

Há um momento em que os debatedores como que se sentem cansados. Tutênio encosta-se na parede, Arturzão fala com a mocinha que passa carregando livros, os outros já se preocupam com a sorte do Vitória no próximo campeonato, Clério está cercado de trabalhadores, fala do próximo comício.

Os ruídos das ruas são intensos àquela hora. As janelas dos prédios mostram as lâmpadas acesas e para os lados da catedral há um clarão do sol nos últimos instantes do ocaso. Longe dali, numa cama estreita, Rita Soares está deitada. Há dias não levanta. Tiziu fica encarregado de fazer as compras, pedir donativos junto com os irmãos. Dona Terezinha já veio visitá-la, dona Eduvirges receitou-lhe chá que abranda e compressa de água quente antes de dormir.

Rita Soares não está doente do corpo. Ficou numa espécie de transe desde o dia em que Tuca também disse ter visto Aracelli.

"Se eles não fizerem justiça à menina, muitos vão pagar pelo erro cometido."

Dona Eduvirges bota a mão na testa de Rita Soares.
– Não tá com febre, não, comadre. A senhora tá é encasquetada com a menina.

Uma semana depois, Rita Soares está de novo andando. Recolhe flores para a imagem da Virgem de Fátima e de São Benedito, acende velas, olha a conta na chama. Os rostos dos dois homens e das duas mulheres, que já se acostumara a ver, continuam sem poder ser identificados.

Tiziu chega da rua, nesse dia, trazendo o jornal.
– Olhe aí, mãe, tão dizendo quem matou Aracelli.

Rita Soares vê os títulos em letras grandes, vê as fotografias e, como se falasse consigo própria, diz alto:
– Já vi essa moça. É a tal Marislei.

Senta-se na sala, lê a reportagem que fala da jovem que já vira algumas vezes. Os três pequenos reaparecem, Tuca vem junto com Radar, Tiziu diz que o vereador está chegando.

A mulher levanta-se, Clério Falcão vem perto.
– Tiazinha, soube que a senhora tá doente! Que é que tem?

Clério se aproxima, sempre muito alegre.

– Vamos ter coragem e combater o mal que tá ameaçando a cidade. Não se pode ficar doente.

Rita Soares faz ar de riso, Clério abraça-a, entram para a sala estreita, com os quadros de santos nas paredes, a toalha de estampados na mesa. Os pequenos ficam por perto, Clério dá uns trocados para que comprem balas. Rita Soares olha o cão, não sente alento de fazer qualquer comentário.

– As coisas tão piorando pro lado dos culpados, Tiazinha. Tou sabendo por aí que dois policiais daqui de Vitória foram pro Rio tentar ouvir um filho do Dante Michelini. Não tá nada bom pro lado deles.

– Acho que essa Marislei é que pode contar a verdade – acentua Rita Soares. – O resto só tá ajudando a complicar ainda mais a história.

– Acho que não, Tiazinha. O perito do Rio de Janeiro, que teve aqui, não engoliu a história do preto velho que o Barros Faria inventou. Ele acha que o crime foi praticado por gente influente.

Enquanto Clério Falcão vai falando e gesticulando, a mulher olha-o de maneira distraída, o pensamento nas figuras que aparecem na conta de vidro. Tenta transmitir o segredo a Clério Falcão, mas depois se aguenta. Teme que a considere louca.

– Se for eleito, Tiazinha, pode tá certa que a primeira coisa que farei é cuidar do caso dessa menina. Vou me comunicar com Deus e o mundo, até encontrar quem esteja disposto a fazer justiça. Deve haver alguém neste país interessado em acabar com a bandalheira que há por aqui.

– Que Deus te proteja. Que tuas palavras sejam teu compromisso.

Clério Falcão olha Rita Soares, os olhos verdes brilhantes, o pensamento distante.

– A senhora tá se sentindo bem, Tiazinha?

– Muito bem. Há tempos não me sentia tão bem.

Tiziu, Tadeu e Tuca retornam. Com a chegada deles, Radar novamente se anima.

– Esse cachorro tá um tempão sem comer direito. Sente a ausência de Aracelli e não se acostuma – diz Rita Soares.

– E a mãe da menina? A senhora tem visto?

– Não vi mais.

– Será que já reconheceu o corpo, e a gente não sabe?
– Não acredito. Alguma coisa maior do que a infelicidade da filha tá apavorando dona Lola Sanches.
– Será que ameaçaram ela de morte?
– Há coisa pior do que a morte.

Radar late, caminha até o terreiro, para diante da estreleira, Clério já se levantou, brinca com os garotos, suas risadas são altas, Rita Soares fica ouvindo aquele homem barulhento que se afasta, que já vai para além da cerca e do pé de castanheira.

Debruçada na pequena janela que dá para o terreiro, fica olhando a rua em frente, os arvoredos, as crianças e, calmamente, como uma canoa que vem na maré e se aproxima da praia, vai tendo uma visão clara do que representava aquela conta que trazia no pescoço.

"É sinal, Rita. Um caminho. Pode ser a própria denúncia dos verdadeiros implicados."

Enquanto repete aquelas coisas, Rita Soares vai se lembrando do vidro de aumento que vira na quitanda do seu Antonino e imagina ir até lá pedir a lente emprestada. Só assim poderia reconhecer aqueles rostos e, então, tentar encontrar uma resposta para semelhante enigma.

Deixa Tiziu uns instantes vigiando a casa, segue pela rua, pano vermelho na cabeça para evitar o sereno, agora que a tarde chega ao fim e, suavemente, as nuvens escuras baixam sobre os galhos das árvores mais altas. Anoitece.

– O que é que vai fazer com a lente, tia Rita?
– Ver uns pontos de cruz. Tou com a vista pra lá de ruim.

Seu Antonino remexe nas gavetas, nas prateleiras onde se amontoam pedaços de papéis escritos. Desaparece no vão da porta, tapado com uma cortina de sementes de santa-maria.

– Teve sorte. Pensei que havia sumido.

A mulher pega a lupa pelo cabo polido, aponta-a na direção dos grãos de arroz e gergelim que estão sobre o balcão, os grãos ficam enormes.

Logo que entra em casa sua preocupação é acender uma vela, limpar bem a lente, tirar a conta do pescoço, colocá-la contra a chama.

A visão que tem parece-lhe tão surpreendente que afasta a lupa. Mas não consegue evitar que a boca se abra e diga palavras que não queria pronunciar. Os dois homens, embora tenham ficado de rostos enormes, um deles com fartos bigodes negros, não pôde reconhecer. A mulher morena também nunca vira. Todavia, a outra era dona Lola.

Numa segunda vez, ajusta bem a lupa e torna a olhar na direção da vela. Dessa vez, os rostos estão ainda mais nítidos. Dona Lola tem o semblante triste, mas não está chorando. Um dos homens, no entanto, o que parece mais jovem, tem expressão de pavor.

Após muito olhar aquelas figuras enigmáticas, Rita Soares guarda a lupa, pendura a conta no pescoço, debruça-se na janela e, enquanto espera que os filhos apareçam para lavar-se, fica pensando naquele mistério.

"O que significa dona Lola junto aos desconhecidos?"

CINCO

Enquanto Rita Soares procura um lugar na cama para acomodar-se ao lado dos filhos, Sebastião Ildefonso e Dudu entram no ônibus, examinam a numeração das poltronas. Nenhum dos dois fala. Ildefonso segura a maleta, Dudu nem isso trouxera. Sentam-se, ficam olhando o movimento na Rodoviária Novo Rio e o homem da limpeza que se aproxima, sempre beirando o meio-fio, uma das mãos segurando a vassoura, na outra o depósito de lixo. O homem some por trás da Kombi que chega, dois rapazes saltam e começam a desembarcar pilhas de jornais amarrados com barbante.

– Uma viagem perdida.
– Não acho. Se fez o que era possível.
– O bom policial não deixa problemas por resolver. Mas a gente, sabe como é. Não tem nem dinheiro pra comer, quanto mais ficar no Rio por conta própria.
– Calma. Quem não tem cão caça com gato. O importante é não desistir.
– Isso é muito romântico, Dudu.
– Não acho. Queimou-se a etapa Zé Eduardo. Vamos trazer Bertoldo Lima à casa de Éboli e ver o que acontece.

Ildefonso Primo olha o companheiro. Sabe que tem razão, mas não sente ânimo de falar. Andaram muito durante o dia, o dinheiro não foi suficiente sequer para tomar táxi e também não deu para uma refeição decente. Ouvindo agora o que Dudu diz, o desejo do delegado é fechar os olhos e adormecer.

– Mais cedo ou mais tarde se chega ao ponto desejado. O que tá perturbando é que nem todas as peças do jogo se casam. Alguma coisa importante tá faltando.
– Não sei. Só quando estiver mais descansado voltarei a pensar no caso.
– Tem razão. O melhor que se faz é procurar tirar um ronco.

Em poucos minutos Dudu percebe que Ildefonso Primo adormeceu. Tem os olhos cansados, um peso tremendo comprime-lhe os ombros, mas não consegue pegar no sono. Quase nunca dorme em viagem. À proporção que o ônibus movimenta-se na escuridão das pistas, vai analisando o que dissera Carlos Éboli, sentindo o quanto aquele homem viu longe a trama arquitetada pelos criminosos.

— Pra mim, as implicações não podem ser tão simples quanto imaginamos. Houve o crime, motivado por viciados em tóxicos, e imediatamente houve a intervenção de pessoas de posse, que tudo estão fazendo para que o fato não se transforme num escândalo declarado. Senti isso a partir do momento em que tive meu trabalho dificultado lá em Vitória. Muitas peças importantes para a elucidação do caso não chegaram às minhas mãos, e outras os funcionários simplesmente informavam ter desaparecido. Se se fosse levar o inquérito do caso Aracelli com o rigor que merece, os primeiros implicados seriam os próprios agentes da Polícia, a começar pelo superintendente Barros Faria.

Dudu recorda as palavras do amigo, imagina a batalha que vai enfrentar, ao lado daquele jovem delegado adormecido, enquanto o ônibus investe furiosamente contra a escuridão. Recosta-se na poltrona, fecha os olhos, distingue nítida a figura de Bertoldo Lima, os olhos tranquilos, o rosto magro e sério.

"Jorge e Dante saltaram juntos do carro. Antes, o Dante Michelini pegou uma máscara de borracha que tava no banco traseiro e enfiou na cabeça. Achei estranho aquilo, mas nada disse. Afinal, era o motorista do Jorge, não tinha nada que me meter em assuntos que não me diziam respeito."

— E o que foram fazer na Superintendência de Polícia?

"Sinceramente não sei — acentuava Bertoldo Lima. — O que sei é que pouco depois o Jorge retornou só e mandou tocar na direção do escritório."

— No caminho ele falou alguma coisa do irmão?

"Não disse nada de importante. Apenas uns papos malucos, que o Jorge é um cara legal. Gosta de contar umas piadas e vive rindo à toa."

— E quanto ao jovem Fortunato Piccin?

"Não tive intimidade com esse rapaz. Às vezes o via, sempre lá com o grupo dele. Nada mais que isso."

Junto ao rosto de Bertoldo Lima, acende-se o de Gabriel Sanches: testa larga, cabelos lisos, bigodes negros.

"Não quero mais ver a menina. Que esteja em paz. Deus se encarregará de punir os criminosos."

– Dona Lola voltou ao IML?
– Não sei.

Dudu abre os olhos, só alguns viços de luz acesos dentro do ônibus, a maioria dos passageiros está adormecida como o delegado Ildefonso Primo.

"Seria Dona Lola a chave que falta nesse jogo?"

Os pensamentos são confusos, Ildefonso Primo mexe-se na poltrona desconfortável, Dudu continua olhando pelo vidro da janela, mas o que vê é o próprio reflexo das pessoas adormecidas. Apaga o bico de luz que incomoda o delegado, tenta alcançar o apoio metálico para os pés, não consegue, sente certo aborrecimento com tanto desconforto. O homem que vem caminhando por entre as fileiras de poltronas bate-lhe no braço, vai em frente, na direção do *toilette*. Dudu acende mais um cigarro, as luzes de uma cidade aparecem, o ônibus diminui a marcha. Surgem as placas assinalando perímetro urbano, surgem os trilhos, a avenida, o mercado, os prédios que agora são apenas sombras escuras.

– Onde a gente tá? – pergunta Ildefonso, que acorda de repente.
– Campos.

Ildefonso olha pelo vidro escuro e novamente adormece. Com o sol quente, chegam a Vitória, os passageiros inquietos para descer, as mulheres passando escovas nos cabelos, olhos inchados da noite maldormida.

– Vou direto pra Delegacia.
– Primeiro desejo tomar um banho. Depois apareço por lá – responde Dudu.

O táxi se afasta, vence as poças de lama junto às calçadas, some na esquina onde estão os meninos vendendo limões e balas ordinárias.

A CONVERSA GRAVADA

Onde há fumaça, há fogo

UM

No meio dos ruídos mais fortes que vêm das ruas, Dudu acorda. As cortinas estão fechadas sobre a janela, ele não tem noção do tempo. Estica o braço, pega o relógio, alarma-se ao verificar que passa das 14 horas. Levanta-se, vai ao banheiro, chama a mulher, entra na cozinha, na sala, não há ninguém. Senta-se um momento, não tem dúvida de que seus atrasos na hora das refeições, as vindas muito tarde para casa, estão pesando no relacionamento doméstico.

Certo de que deveria dar mais atenção à esposa a partir daquele dia, ainda que o caso Aracelli só estivesse no começo das investigações, Dudu repuxa a pele do rosto para escanhoar-se melhor. E, imaginando a revolta silenciosa da mulher, as horas que passava sozinha, aguardando que aparecesse, remói também a possibilidade de ir até a Casa de Detenção, ouvir o traficante José Paulo de Sousa, o "Boca Negra". Depois se avistaria com o sr. João Dias, pai de Homero, e com a viúva Elza Dias. Falaria com o vigia Etelvino Rodrigues, agredido pelos desconhecidos que invadiram o Edifício Apolo, faria sindicâncias em torno da vida de Marislei Fernandes Muniz, frequentaria a Boate Franciscano, ouviria da professora Marlene Stefanon tudo que pudesse dizer de sua ex-aluna. E a que horas voltaria para casa?

Veste-se, vai para a rua, encontra alguns amigos nas imediações do Bar Carlos Gomes, de lá caminha na direção da Delegacia. Atravessa a sala sempre movimentada, Sebastião Ildefonso está com cara de quem não havia descansado um só instante.

– Tive de tirar uma soneca. Não ia aguentar emendar.
– Isso aqui, hoje, tá um inferno – responde Ildefonso.
– Alguma coisa sobre a menina?
– É de que menos se fala.
– Tive algumas ideias que talvez nos levem a alguma conclusão.
– Vamos lá.
– Acho que o melhor é se fazer um levantamento completo das prováveis testemunhas. Botar uma porção de gente pra falar.

– Acredita que dê certo?
– Se não der, nada se perde.
– Já soube o que tão arrumando pra cima de ti? – comenta o delegado.
– Tanto Helal quanto Michelini vão te processar. Querem pegar também o Clério Falcão.
– Quando souberem que temos prova do que afirmamos, garanto que mudarão de ideia – responde Dudu.
– Já conseguiu falar com o motorista?
– Hoje, não. Amanhã ou depois, passo por lá. É bom que só se volte ao Rio na semana que vem. A mulher anda meio chateada comigo.
– Quem é que vai contratar como advogado?
– O Jeová de Barros e o Ewerton Guimarães. Dão conta do recado.
– Será que Clério já sabe disso?
– Ainda não estive com ele.

Dois policiais chegam trazendo o homem com muito esparadrapo no rosto e nos braços, aparecem outras pessoas relacionadas ao mesmo caso, Dudu se levanta, aproveita para sair, Ildefonso Primo põe-se a ouvir a conversa do ferido, Dudu chega à rua, toma um táxi, manda seguir para o Salão Totinho. Diverte-se com o papo sempre animado de Tutênio, as afirmações prudentes de Arturzão, os palpites do barbeiro João Inácio.

– Se o Clério for mesmo eleito, vai foder essa canalha. Aquele preto não é de fazer arrego. Vai quebrar o pau na Assembleia como fez na Câmara dos Vereadores.

– Pra esse cara, tudo é muito fácil – considera Arturzão.

– E qual é a bronca? Se o careta tá sendo acusado e não consegue se defender, ferro nele. Bota no pau de arara que a história sai.

– Prova pra botar uns três em cana já se tem – diz Dudu.

– Taí. É o próprio perito quem tá dizendo.

Arturzão não responde. Respeita Dudu, não quer incompatibilizar-se. Na pausa da discussão, chega Clério. Paletó no braço, os gestos largos, o riso franco. Tutênio mal espera que se aproxime, vai logo afirmando:

– Você já tem ou não tem elementos pra mandar uma meia dúzia pra cadeia?

Clério é tomado de surpresa, mas está acostumado com Tutênio.

– No mínimo, uns três.

– E quais seriam? – quer saber Arturzão.
– Paulinho Helal, Dante Michelini Jr., o delegado que se incumbiu do caso, no início das investigações e os fotógrafos da própria Polícia.
– E vocês podem provar isso?
– Se não pudesse, tu pensa que a gente tava com esse gás todo?
– Acho graça desse sujeito. Não sabe de porra nenhuma, é um cagão e pensa que todo mundo tá na dele. Tu tem de entender, velho, que os dois aqui são da pesada (Dudu e Clério acham graça). Não entraram nessa história de brincadeira.
– O Clério pelo menos tá dando cor política ao fato – afirma Arturzão, de modo polido.
– Não me incomodo que digam estar explorando o cadáver da menina. Deus e a Virgem de Fátima sabem dos meus propósitos. É o quanto basta.
– Não quis dizer isso.
– Pode estar tranquilo, amizade, que as provas estão conosco. No momento exato, vão ser lançadas na mesa.
– Tem de dar uma lição nessa cambada – afirma o barbeiro João Inácio.
– Do contrário, esta cidade estará sempre de moral baixo, apontada como refúgio de marginais.

Arturzão volta a exaltar-se contra nova afirmação de Tutênio. Dudu chama Clério Falcão de lado, falam a respeito dos advogados que colocariam na sua defesa, do motorista que iria ao Rio gravar denúncia no laboratório particular de Carlos Éboli. Clério aproveita para pôr Dudu a par das descobertas de Rita Soares.

– Tiazinha é fogo, cara. Andou lá pelo bairro do Soteco, em Vila Velha, e sabe o que disseram a ela?

Clério faz uma careta, arregala os olhos.

– Que a Marislei foi namorada do Paulinho Helal e conhecida de Aracelli. A moça tem muito o que contar. É figura nova no caso, homem de Deus!

Dudu fica animado, quer saber onde poderia encontrar Rita Soares. Clério dá as indicações. O perito pede que o vereador mantenha o nome de Marislei em sigilo, mas se decepciona ao descobrir, no dia seguinte, que o segredo era do domínio público. Chama o companheiro, reclama.

– A jornada é difícil, irmão. Se tem de agir com a cabeça. Em boca fechada não entra mosca.

Clério Falcão sorri do modo cauteloso de Dudu, promete controlar-se, fala dos comícios em Colatina, das possibilidades eleitorais, que considera boas.

– Juro que venço por maioria, e essa cambada vai roer um osso duro.

– Pelos levantamentos que já fiz do caso, baseado em parte nos estudos de Carlos Éboli – acentua Dudu –, cheguei a uma conclusão.

Clério para de falar, é todo atenção.

– Aracelli morreu numa bacanal de tóxicos. Aplicaram uma dose muito violenta nela. Quando perceberam seu estado, foram com ela para o Hospital Jesus Menino, mas já tava morta. Os médicos se recusaram a fazer o encaminhamento do corpo, o que seria mais tranquilo para os assassinos. Diante dessa dificuldade, levaram o cadáver para a Boate Franciscano, colocaram num *freezer* de sorvete, enquanto pensavam numa maneira de sumir com ele. Depois disso veio a ideia do ácido – quem sabe obtido no próprio Hospital Jesus Menino? – e o abandono da menina no matagal. Ali, não fosse o garoto que caçava passarinhos, jamais seria achada. Ao mesmo tempo, estaria num local que os próprios matadores poderiam controlar com relativa facilidade.

– E aquela menina caberia num *freezer* de sorvete? – é a única coisa que intriga Clério.

– Comprimida por um homem forte, claro que sim.

Passam por uma banca, Clério pede um jornal, vai olhando as notícias enquanto o perito faz novas considerações sobre o crime. Em dado instante, mudando completamente de assunto, indaga:

– Sabia que até hoje a conta do hotel onde Éboli se hospedou não foi paga?

Dudu limita-se a rir.

– Não há novidade nisso. Recusaram até material pro homem trabalhar, quanto mais pagar as contas que fez!

– O dr. Barros tá abusando da sorte – argumenta Clério. – Tá indo longe demais.

Chegam em frente ao café onde Clério Falcão encontra outros amigos, Dudu aproveita para despistar, atravessa a rua. A teoria que criou a respeito da morte de Aracelli ganha corpo e está cada vez mais convencido de que representa a verdade.

DOIS

Cedo ainda, Dudu desce do táxi, caminha na rua sem asfalto, passa pelos grupos de meninos seminus que brincam, fala com as pessoas que conhece de vista, avança pela travessa estreita, ladeada de arbustos floridos, chega ao portão de tábuas enegrecidas, bate palmas. Tiziu aparece, vai chamar a mãe.

– Sou Asdrúbal Cabral, amigo do Clério Falcão.

Senta-se, apoia os braços na mesa.

– Clério fala muito na senhora.

Rita Soares ouve o que vai dizendo, não faz comentários.

– Também tou trabalhando pra ver se consigo esclarecer a morte da menina. Clério disse que a senhora sabe da moça que poderia ser uma boa testemunha.

– Dizem que foi namorada do filho de Helal – acentua Rita Soares.

– E o que mais dizem?

– Era bom o senhor mesmo descobrir. Não quero passar por linguaruda.

– Não me chame de senhor – diz Dudu, sorridente.

Rita Soares também faz ar de riso. Em dado momento, vai à cozinha, retorna com um papeiro de mingau quente, oferece, Tuca e Tadeu aparecem com as tigelas.

– A criançada não perde tempo – diz a mulher.

– Alguma coisa lhe faz acreditar que dona Lola esteja metida no caso?

Rita Soares volta-se com certa surpresa, põe o papeiro na mesa.

– Não havia pensado nisso.

Dudu se levanta, Tiziu chega com o embrulho de pães, diz que o dinheiro não foi suficiente, ficou devendo 20 centavos a seu Antonino, a mãe não está ouvindo, pensa na astúcia daquele homem de rosto magro, olhar calmo, palavras mansas e, imaginando sua habilidade, recorda com absoluta nitidez as figuras que frequentemente vê no interior da conta, sempre que a coloca de encontro à luz de uma vela. A mulher loura é mesmo Lola Sanches.

Da casa de Rita Soares, Dudu segue para falar com Bertoldo Lima. De lá, então, procuraria investigar a atuação de Marislei Fernandes de mais perto.

Iria ao bairro do Soteco, onde morava. Se o tempo fosse suficiente, procuraria também uma entrevista com o Paulinho "Boca Negra". É um dia cheio, principalmente para ele, que não tem carro, as distâncias a cobrir são grandes. Pensando nessas coisas, bate na porta do motorista. Rumores na pequena casa, flores balançando nos ramos finos. A mulher diz que Bertoldo Lima não está, Dudu dispõe-se a esperar. Entra na sala de piso cimentado, quadros nas paredes com estampas protegidas por vidros, a mesinha de centro e o jarro de flores plásticas, cadeiras com assento de palhinha. Bertoldo aparece, estica a mão num cumprimento.

– Finalmente, chegou o dia da viagem.

Explica que deveriam sair de madrugada, no Volkswagen de Ildefonso Primo.

– O carrinho tá em ordem e pra três pessoas não chega a ser incômodo.

Na verdade, Dudu não tem muito o que dizer, Bertoldo Lima apenas sorri. Dudu fala em dinheiro, o motorista diz que isso não vem ao caso. Combinam o horário da partida, a mulher reaparece com duas xícaras de café.

Dudu já está se preparando para sair quando ouve a indagação que o deixa preocupado.

– E o caso Aracelli? Acha que no Rio vão conseguir alguma coisa?

– Não se descobre nada por aqui, quanto mais no Rio.

– Tem sido dura a luta, pois não?

– Não tá moleza. Anda-se o dia inteiro, pra baixo e pra cima, e não se apura coisa alguma de valor.

A caminho da pista asfaltada Dudu ainda está em dúvida: não consegue saber se, de fato, Bertoldo Lima acredita no que diz ou, simplesmente, sabe tanto quanto ele o significado daquela viagem. Arrepende-se de não ter sido franco. Todavia, o depoimento daquele homem é tão importante, que nem de longe pode arriscar a possibilidade que terá de gravar uma fita com tudo o que costuma afirmar. Indispensável alertar Ildefonso Primo para que, durante a viagem, não toque no caso Aracelli.

– Só se diz alguma coisa se ele puxar.

Aquelas conclusões e acertos como que tiravam um peso das costas de Dudu. Enquanto espera o momento da partida, conversa com os amigos, anda por ruas desertas e pouco iluminadas, detém-se diante de casarões que conheceu nos bons tempos e agora estão transformados em cabeças de porco: janelas de rótulas despencando, arcos de madeira trabalhada, lascados, vidros partidos e parasitas crescendo nos beirais de telhas esmaltadas. Olha aquela deterioração do casario, cicatrizes se abrindo no rosto da cidade, pensa nas personalidades ilustres que se foram e na decadência que, devagar, como as marés no porto, vai inundando tudo aquilo, solapando, corroendo.

– Tilim, bota mais uma dose. Vê também o tira-gosto.

O homem de rosto gordo atende ao pedido de Dudu e dos seus amigos. Dudu olha aquelas prateleiras enegrecidas de tantas tardes que por ali passaram e de tantas noites que ali aportaram. A aparente estagnação representa tradição; uma coisa que a arquitetura moderna, as avenidas largas e a multidão feroz nas ruas estão ajudando a destruir.

Ficava horas na mercearia de Tilim, encostado nas pilhas de caixas ou sacos de batatas. Ali, também o tempo parecia ter feito um remanso na correnteza, e muita coisa ainda lembrava os melhores dias de Vitória.

Tilim nem sempre se mete na conversa dos fregueses. Atende as senhoras que escolhem macarrão, arroz e farinha, corta queijo para o desembargador, põe no papel gelatinado as azeitonas que a professora quer levar, serve conhaque e macieira aos frequentadores de quase todos os dias. Vez por outra, não se aguenta de curiosidade, arrisca um conselho.

– Cuidado com essa gente, Dudu.

O perito acha graça, porque seus passos no trabalho são sempre cautelosos. Não se lembra, em tantos anos de atividade, de uma imprudência, uma acusação injusta. E as que por acaso foram feitas, logo procurou retificá-las. Tem vontade de dizer isso a Tilim, mas sabe que de nada adiantaria. Limita-se a ficar parado naquele lugar atravancado, ouvindo casos que os amigos contam, os boatos e as pilhérias.

Tilim oferece mais uma dose, Dudu agradece. Agora, ouve mais do que fala. Jeová, que chegou por último, põe a pasta sobre uns caixotes, conta como foi o encaminhamento da ação de defesa.

– Pelo que ouvi, o Michelini vai dar uma de bom moço.

– Como sempre faz – interrompe Dudu.

– Vai pedir na Justiça que você e o Clério devolvam materiais que são de importância na elucidação do caso.

– Pretende é tumultuar os trabalhos.

– É vivo – diz Orlando Brotto, um homem alto e louro, que também frequenta a mercearia do Tilim.

– Tou pronto pro que der e vier – afirma Dudu.

Horas mais tarde, quando Bertoldo Lima estiver dirigindo o Volkswagen de Ildefonso Primo por ruas e travessas escuras, até atingir a BR-101, Dudu ainda ouvirá a advertência do advogado e ficará pensando no comportamento das pessoas. Não tem ódio de Dante Michelini e muito menos de Constanteen Helal.

– Nenhum pai vai aceitar, sem reação, que seu filho seja acusado como criminoso. Te coloca no lugar de Michelini e vê como ia reagir – afirmava Arturzão, nas discussões com Tutênio.

Dudu se lembra do embaraço de Tutênio. Uma das poucas vezes que o viu sem resposta imediata, ele que costuma falar pelos cotovelos e tem sempre algo muito engraçado a dizer quando Arturzão discorda de suas afirmações. Era aquilo. Uma verdade mortal, encoberta de paixões. Não podia ser diferente. Seu trabalho é que remove coisas ocultas no fundo dos corações. Suas mãos é que se aventuram a puxar para fora das sombras os animais disformes e repelentes que somos e que procuramos manter bem escondidos.

– Meu neto envolvido num crime! – dona Julieta diz isso e desmaia. É o que conta Bertoldo Lima.

"Mas a verdade tem de ser arrastada pra fora das águas escuras do lago, esticada na areia pra que todos a vejam, ainda que tenha a forma mais nojenta de todos os moluscos. Ela é a mancha que ajuda a nos curar ou nos destruirá de uma vez por todas."

TRÊS

Dudu toca a campainha do apartamento 101. Do seu lado estão Ildefonso Primo e Bertoldo Lima. Aparece a mulher perguntando quem é, aparece Carlos Éboli. Entram para a sala com o tapete sobre os tacos lustrosos, móveis confortáveis.

– Este é Bertoldo Lima, que comandou a nave até aqui.
– É um bom pedaço – recorda Éboli.
– Gosto de fazer essa viagem, mas, ultimamente, ando estourado – afirma o delegado.
– Vamos passar para o escritório, que é mais confortável.

É um salão amplo, com estantes, mesas e livros especializados, estatuetas de mármore e bronze, máquinas de fotografia, cassete, alguns *long-plays* empilhados e sobre eles o cinzeiro estilizado, além de um pote com balas e outro sem tampa, cheio de lápis e canetas.

– Não reparem na desarrumação. É meu mundo. Quando me livro dos chatos lá fora, corro pra cá. Principalmente agora que a cidade tá ficando uma total alucinação.
– Vitória não é diferente.
– Dá última vez que estive lá, fiquei impressionado com o movimento nas ruas.
– Que papelada é esta, mestre? – quer saber Ildefonso Primo.
– O inquérito sobre o sequestro de um menino. O Carlinhos, como a imprensa chama. Já li isso umas dez vezes, e cada vez entendo menos.
– Algo parecido com o caso da garota de Vitória? – indaga Dudu.
– Mais ou menos. Só que a menina se sabe que foi morta. Carlinhos – abre o volumoso inquérito – sumiu, evaporou.

Dudu finge olhar um livro sobre perícia, Ildefonso fala uma ou duas vezes, Bertoldo Lima faz apartes. A moça de avental aparece, diz que o café está para sair.

– O pior é que se vê uma coisa acontecer, procura contar pra ajudar e acaba quase como mentiroso – diz Bertoldo Lima.

Dudu ainda manuseia o tratado, mas na verdade está atento ao que diz o motorista. Éboli dá atenção ao homem que vê pela primeira vez, Ildefonso Primo sabe que toda aquela conversa está sendo gravada. O que Carlos Éboli chama escritório é um laboratório bem montado, com microfones embutidos nas paredes, no piso e nos móveis. E não apenas um gravador, mas diversos, deveriam estar àquela hora girando lentamente as fitas magnéticas com tudo o que Bertoldo Lima narrava.

– Em tudo isso, o que acho estranho é o comportamento de algumas pessoas. Não pude entrar em detalhes porque já peguei o caso pelo meio, quando o dr. Waldir Vitral pediu que desse uma mão – diz Éboli, procurando tornar o ambiente bem descontraído para Bertoldo Lima.

– Houve muita história desencontrada, muita denúncia manhosa, com o fim de prejudicar as investigações. A partir da morte do sargento Homero Dias, a coisa começou a degringolar – afirma Ildefonso Primo.

– Surgiu até um mascarado, não é isso? – indaga Éboli, sorridente.

– E houve mesmo, Bertoldo presenciou isso – diz Dudu fechando o livro.

– Vi com estes olhos que a terra há de comer. Nessa época, era motorista do Jorge, irmão do Dante Michelini. Uma tarde, apanhei os dois. Jorge mandou seguir para o escritório, que ficava no centro. Perto da Superintendência de Polícia, ele mandou diminuir a marcha. Olhei pelo retrovisor e o Dante tava enfiando uma máscara de borracha na cabeça. Ficou parecendo um velho. Saltaram e seguiram na direção do prédio. Uns cinco minutos depois, Jorge retornou. Perguntei se o irmão não vinha, mandou tocar pra frente. Dias depois, na casa do Jorge, voltei a ver a máscara de borracha sobre o barzinho que ficava na varanda.

– Teria ideia do que o Dante foi fazer lá, assim fantasiado? – pergunta Carlos Éboli.

– Não soube de nada. – Esse pessoal não se abre com ninguém. Mas só a partir daí comecei a ligar a encenação de Dante Michelini ao caso da menina, que, por sinal, morava na mesma rua que eu, no bairro de Fátima.

A empregada chega com a bandeja de café. Éboli pega as xícaras, vai distribuindo, oferece mais açúcar.

– Como é esse irmão do Dante Michelini? – quer saber Éboli.

— Um bom sujeito. Meio doido quando bebe, mulherengo e dado a farras. Para os parentes ricos, é uma espécie de ovelha negra, embora os sobrinhos tenham adoração por ele.

— Puxa, Bertoldo. Devia ter te encontrado quando estive em Vitória. Isso que tá dizendo, agora, poderia ter sido de grande utilidade na época — acentua Éboli. — E o que não entendo é como ninguém desconfiou do disfarce do velho na própria Polícia.

— A ideia que faço é que tudo isso não passou de uma farsa perfeitamente organizada — afirma Dudu.

— Mas uma farsa perigosa. Quem era o delegado nessa época? — pergunta Éboli.

— O capitão Manoel Araújo — diz Dudu.

— O mesmo que recebia as informações de Homero Dias a respeito do sequestro? — torna a indagar Éboli.

— Aquilo é muito enrolado. Se não partirem pra interrogatórios sérios, não vão chegar nunca a qualquer conclusão — acentua Bertoldo Lima, meio impaciente.

— Se o Clério Falcão conseguir, de fato, ser eleito deputado, então podem aguentar as pontas que vai haver uma confusão dos diabos.

— Mas ele me pareceu meio tumultuado — diz Éboli.

— Tem a vantagem de ser honesto. Não leva dinheiro de ninguém — afirma Bertoldo Lima.

— O pai da menina chegou a contratar os detetives aqui no Rio? — pergunta Éboli.

— Coisa nenhuma. A mãe da garota insiste em afirmar que o corpo que tá no IML não é de Aracelli. Isso tem enfraquecido o caso — diz Dudu.

— É estranho, isso — considera Éboli.

— Olha, pessoal, pra ser sincero, tenho até ouvido falar numa ligação de dona Lola com o Jorge Michelini. Por aí podem ver como o negócio tá complicado — declara Bertoldo Lima.

— E o que mais tem sabido por lá?

Dudu conta o que levantou, Ildefonso queixa-se do desinteresse nas investigações, Bertoldo Lima volta a falar.

— Há quem admita que dona Lola cedeu a menina pra alegrar uma testinha com os filhos de Michelini e Helal. Lá pelas tantas, um deles violentaria a garota, pra que Jorge encontrasse o caminho aberto.

– Isso é da maior gravidade, Bertoldo – considera Carlos Éboli.
– É o que comentam. Onde há fumaça, há fogo – afirma o motorista.
– Você admitiria uma coisa dessa, Dudu, ou são apenas boatos, espalhados por pessoas que detestam dona Lola?
– Não sei, mestre. Como Bertoldo lembrou, onde há fumaça há fogo. Dona Lola não era uma estranha para Jorge. Descobri uma série de desenhos feitos por Aracelli, todos representando aspectos da casa dos Michelini, na praia do Canto. Isso prova que ela esteve por lá e não uma vez só. Se assim fosse, dificilmente teria conseguido memorizar setores tão particulares da residência. Os desenhos coincidem com uma composição que fez na escola, onde lembra os seus tempos de menina. Dudu faz esforço de memória, olha fixo num ponto e logo recorda.
– Uma parte dessa composição é assim: "... sou uma moça, mas também sei como é ser criança porque um dia também fui criança e fui uma criança alegre".
– Quando vai novamente a Vitória? – indaga Ildefonso, para que a conversa não se torne maçante.
– Frequentemente terei de estar indo lá por causa das aulas na Academia. Quanto ao caso, já apresentei meu relatório ao dr. Waldir Vitral.

Ildefonso Primo olha o relógio, Dudu diz ser hora de bater em retirada, Éboli pergunta pela sindicância em torno do José Eduardo.

– Não deu em nada. Se fez o que foi possível, mas sempre diziam no regimento que ele não estava.

– O pessoal que botei pra mantê-lo sob fiscalização também não conseguiu nada.

Dudu levanta-se, Éboli aperta a mão de Bertoldo, abraça Ildefonso, a porta se abre, a rua Paula Ramos está pontilhada de cantos de pardais e de crianças que fazem suas brincadeiras.

No bar, onde os três sentam para tomar uma cerveja, naquele fim de tarde quente, Bertoldo Lima está impressionado com a camaradagem dos amigos e com a atenção que lhe dispensara o maior perito do país.

DOIS ANOS DEPOIS

Um anjo dorme na geladeira

UM

Após vários dias sombrios ou chuvosos, a manhã de sol faz Vitória reacender de belezas. As árvores nas praças sacodem os ramos finos e lavados, a grama tem um verde revigorado, e as pessoas que transitam pelas ruas parecem reconfortadas com o calor.

Em frente ao Salão Totinho, desde cedo, há bastante animação. Tutênio ergue o jornal na mão, fala alto. Os que estão parados, perto dele, assistem a mais uma de suas discussões com Arturzão.

– Te cuida, maninho, que o velho Deus tá botando pra quebrar. O castigo já começou a baixar. Não me vanglorio com a morte de ninguém, mas quem faz o mal aqui mesmo paga. Olha só o que tia Rita vem dizendo esse tempo todo. Vitória tá roída pelo pecado.

– Deixa de ser bobo, rapaz – argumenta Arturzão, encostado num poste. – O Jorge Michelini acabou porque abusava da bebida.

O cidadão de barbicha, que ouve mais do que fala, indaga: – Jorge Michelini morreu?

– Tu tá por fora, hem, maninho! O homem empacotou ontem de madrugada. Um ônibus da Viação Penedo passou por cima dele com carro e tudo e saiu arrastando o infeliz nas rodas traseiras. Pelo que o jornal diz, foi horrível. Sinceramente, como fico com pena dele.

– E onde foi isso? – torna a perguntar o homem de barbicha.

Tutênio não tem muita paciência para explicações, e o melhor que faz é entregar o jornal ao homem.

– Nossa Senhora! Esmagado por um ônibus na própria avenida Dante Michelini?

– Isso mesmo – acentua Tutênio. – O castigo foi geral. E o que não entendo é que estando o irmão dele no carro, não tenha morrido também.

– Deixa de ser trouxa, cara. Um acidente é um acidente. Tutênio não escuta o que o outro diz, grita alto:

– Dudu! Dudu!

O perito está barbeado, camisa de listra bem passada, calça vincada, sapatos engraxados.

– Vai pra festa essa hora, homem de Deus? – quer saber Tutênio. Dudu não responde. Tira um cigarro e enquanto bate o fumo na caixa de fósforo, ri dos gestos expansivos do amigo.

– Que acha que houve com o Jorge, pra morrer daquela maneira?

– Talvez cara cheia, talvez um momento de imprudência. É impossível saber. O certo é que teve um fim que não desejo ao pior inimigo.

– Era isso que tava dizendo pra essa zebra – e aponta na direção de Arturzão. – Acho que Rita Soares previu tudo e, como ela mesma diz, coisa pior ainda tá a caminho. Mas agora, por aqui, não posso mais dizer nada. Tão me acusando até de fanatismo. Que sou gente dos mandingueiros.

– Vai te foder, cara. Tu tá é querendo conversa. Se começa a falar coisa séria e termina em molecagem – acentua Arturzão, irritado.

Dudu limita-se a rir, o homem de barbicha quer saber detalhes, além dos que estão no jornal.

– Fui de madrugada ao local. O Volkswagen do Jorge ficou bastante arruinado. Parece que chegou a capotar diversas vezes antes de abrir as portas.

– O ônibus devia vir mandando brasa! – diz o barbicha.

– Na certa. De madrugada a avenida tá sempre livre – pondera Dudu, tirando uma baforada do cigarro.

– Algum de vocês vai ao enterro?

– Se não estiver ocupado logo mais, vou dar um pulo até lá – responde Arturzão.

– Eu posso fazer o mesmo. Jorge era gente conhecida. Não tinha nada contra ele. De mais a mais, já pagou os pecados que cometeu.

Dudu se distancia do agrupamento, exatamente quando chegam mais curiosos, toma o táxi, manda seguir na direção do bairro de Fátima. Durante o trajeto, as considerações do motorista são também relativas à morte de Jorge Michelini.

– Não sei não, mas parece que isso é castigo do céu.

– O senhor acredita nisso? – indaga Dudu.

– Não tenha dúvida, meu senhor. O mal por si se destrói. Dudu chega à cancela de tábuas estreitas, ventos brandos sacodem ramos floridos. Não vê os meninos, não vê Radar. Abre a cancela, vai entrando pelo caminho ladeado de roseiras. Bate na porta que está apenas encostada. Da penumbra de silêncios sai Rita Soares. Parece envelhecida, só os olhos são tão verdes como no primeiro dia em que a viu. Ela não fala. Está distante, aérea. Dudu tenta ser amável.

– Como vamos? Como tão os garotos?

Rita oferece-lhe uma cadeira.

– Tive andando por longe, pra ver se descobria alguma coisa que ajude a desvendar o caso Aracelli.

Rita passa as mãos nos cabelos, torce-os num coque, prende com o pente enfeitado de vidrilhos. Agora, parece mais próxima, mais natural.

– A senhora tá se sentindo bem?

Sacode a cabeça e também sorri. Dudu compreende que não é importuno.

– Soube o que aconteceu esta madrugada?

Rita convida-o a entrar para o cômodo seguinte. Dudu larga a folha de jornal que tirou do bolso sobre a mesa, acompanha a mulher.

– Só você pode ver isso. Evite comentários, pra que nada de mal lhe aconteça.

O quarto é pequeno e bastante escuro. Rita parece não se incomodar com isso, mexe com facilidade por entre os objetos, em busca de alguma coisa que não está encontrando. Logo depois aparece com o copo de cristal. Dudu movimenta-se atrás da cigana, sem pronunciar qualquer palavra. O copo é posto sobre a mesa. Rita coloca água dentro dele, até ficar quase cheio. Faz o sinal da cruz, acende duas velas. A primeira fica equilibrada sobre uma lata de leite em pó, vazia, a segunda ela segura.

– Veja bem como andam as coisas.

Dudu está surpreso com tanto mistério e vê o primeiro pingo de cera cair, afundar e voltar à superfície. Depois, outros pingos vão se sucedendo e só aí percebe que se está formando o rosto de uma pessoa, e essa pessoa não é outra senão Jorge Michelini. Quando a miniatura está perfeitamente nítida, vai descendo para o fundo do copo.

– O que significa isso, tia Rita?

– Acabou. Não é mais deste mundo. Deixou de sofrer e fazer sofrer.

Outros pingos de cera quente caem na água do copo, diante dos olhos incrédulos do perito. Vagarosamente, vai se formando a ponta de um queixo, depois o nariz, a testa e os cabelos.

– Conhece quem é? – pergunta Rita Soares.
– É Elizabeth, filha do Constanteen Helal.
Um novo pingo de cera cai dentro d'água, e a miniatura vai afundando.
– O fim dessa senhora tá próximo. Nada mais vai poder adiar a grande viagem.
Rita Soares coloca a vela na lata de leite em pó, ao lado da outra que se extingue, em plena claridade da manhã que penetra a casa. A miniatura do rosto de Jorge Michelini já está quase sumida, e a de Elizabeth Helal também vai sumindo, como se fosse naftalina.
Os pingos de cera caem de novo na água, dissolvem-se, juntam-se numa pasta espessa, onde pouco a pouco forma-se o rosto moreno e magro, de grossas sobrancelhas e cabelos negros.
– É o Paulinho Helal, sem tirar nem pôr – acentua o perito. – É o irmão de Elizabeth.
– Por causa dele, o destino da irmã tá selado – afirma Rita Soares.
A cigana ainda está com a vela sobre o copo. Desta vez, caem muitos pingos, tênues fios brancos afloram, afundam, formam ramificações intrincadas. Os pingos subsequentes vão adensando aquele verdadeiro labirinto e sobre a nervura de complexidades desce uma película de sorvete que derrete ao calor, e o rosto toma forma. Primeiro os cabelos e a testa, depois parte do queixo e do nariz.
– É dona Lola!
– Ela mesma – responde Rita Soares.
O rosto é nervoso, os olhos assustados.
Dudu recosta-se na cadeira, pergunta se pode fumar.
– Confesso que tou confuso. Sabia que Jorge Michelini morreu esta madrugada?
– Há muito tempo já sabia.
Enquanto olha a mulher, seus olhos verdes, as unhas crescidas e sujas da mão que segura a vela, Dudu vê formar-se no copo o terceiro rosto. É o de Dante Michelini Júnior. Rita Soares não parece surpresa com as miniaturas que estão na superfície.
– Quando as figuras não afundam, o que significa?
– Que vão ter muita coisa pela frente.
– Acha que, de alguma forma, Lola Soares seria uma das culpadas?

— Pelo fato de aqui aparecer, acho que sim.

— E, se de fato estiver implicada na morte da filha, qual será seu castigo?

— Uma longa vida de sofrimentos. Por isso, sua imagem se formou sobre aquela ramificação tão complicada.

— E que diz do irmão de Elizabeth?

— Uma vida sem alegria. O constante enfado de tudo. Seus olhos vão morrer pro verde das árvores e o vermelho das rosas. Os risos das crianças vão lhe abrir feridas no peito. Já este outro — toca com o dedo na cabeça de Dante Júnior — verá os caminhos do desespero e da danação. A ideia do suicídio lhe ocorrerá muitas vezes, mas nem pra isso vai ter coragem.

— A senhora pode ver a imagem de Aracelli? – pergunta o perito.

— Minha destinação é apenas com os culpados.

— Acredita que se possa punir os culpados?

— A gravação que fizeram com o motorista é boa prova. Mas o depoimento que Marislei vai fazer na CPI pode ser ainda mais importante.

— Como soube da gravação?

Rita Soares sorri, os olhos tornam-se brilhantes, Dudu vê que apenas os rostos de Paulinho e Dante Michelini continuam nos copos.

— Acha que o Clério vai mesmo levar o caso pra frente?

— Com toda certeza. Ele tá querendo formar uma comissão pra ouvir os implicados. Por enquanto, tá enfrentando dificuldades, mas a tal comissão vai sair.

— Acredita que o Clério possa ser morto a qualquer momento?

— Enquanto tiver do lado da verdade viverá.

O portão se abre com um rangido de dobradiças enferrujadas, entram Tiziu e Tuca, seguidos de Radar.

— Esse é o cão que a menina criou?

— Esse mesmo. Tá um molambo. Tenho feito tudo pra ele comer direito, mas é besteira.

— A senhora conseguiu falar com o Paulinho "Boca-Negra"?

— Não deixaram. Fui lá várias vezes, e em todas elas os policiais inventaram uma história. Aí desisti.

Rita Soares olha bem nos olhos do perito, pede sua opinião sobre uma hipótese levantada por Bertoldo Lima.

— Acha que dona Lola seria capaz de ceder a filha a um grupo de viciados?

– Não digo que sim, nem que não. Tou procurando reunir provas em torno disso. Só os fatos podem formar um quadro real da situação.

Tiziu explica qualquer coisa à mãe, Dudu espera os meninos saírem da sala.

– E como a senhora soube, tia Rita, a respeito das hipóteses de Bertoldo Lima mencionando Lola Sanches?

– Deus vê pelos pobres e injustiçados – dizendo isso, a mulher sorri, Dudu também acha graça. Tadeu entra na sala, Radar torna a aparecer, festejando, embora com certo desânimo, a chegada do menino.

DOIS

Dia 23 de abril de 1975. Os jornais pendurados nas bancas anunciam o início dos trabalhos da Comissão Parlamentar de Inquérito, criada para apurar responsabilidades no assassinato da menina Aracelli. O primeiro a depor é o deputado Clério Falcão, que foi, também, seu idealizador. Em todos os pontos de encontro da cidade, o assunto é um só: o depoimento que o parlamentar emedebista prestou na véspera. Muita gente reunida em frente ao Bar Carlos Gomes, na porta do edifício dos Correios e Telégrafos e, em especial, diante do Salão Totinho. Muitas pessoas falam, mas a voz que mais se ouve é de Tutênio.

– O crioulo tá lá fustigando a canalha. Não enganou o eleitorado, como faz a maioria. O governador não aguentou o repuxo, teve de mandar a Arena votar na aprovação da CPI.

– Não foi o governador que não aguentou, cara. É que todo mundo nesta cidade tá interessado na solução do caso – diz Arturzão.

– Que gracinha dele. Como é ingênuo o pobrezinho – diz Tutênio, de forma gaiata, para irritar Arturzão. – Então tu quer me contar que Sua Excelência tá preocupada com o destino da menina? Sai dessa, otário. Aqui, nesta ilha, todo mundo tá na sua, e o resto que se foda. Não vem com essa conversa sacana!

– E tu pensa que Clério Falcão embarcou nessa canoa só porque tá morrendo de pena dos pais de Aracelli?

– Não interessa. Ele disse que, se eleito, ia botar no rabo dessa cambada e já tá botando. O esquema tá armado. A CPI começou a funcionar. Muita gente tem de dar com a língua nos dentes, queira ou não. Ainda que não aconteça nada, os envolvidos vão ficar na boca do povo. Vai ser a suprema desmoralização.

– Tu e o Clério parece que têm é despeito dos Michelini e dos Helal.

– Corta essa, bicho. Não invejo ninguém. Tenho dois braços, duas pernas e muita saúde que Deus me dá. Não invejo ninguém. O que não admito é que se encoberte um crime desse, porque os principais acusados são filhinhos de papai. Fosse um pobre e estaria sendo cortado de relho na cadeia.

O senhor de barbicha e cara risonha faz uma pergunta a Tutênio, ele ignora o que Arturzão continua a dizer, responde:

– O primeiro depoimento da CPI foi tomado ontem. O próprio Clério falou mais de uma hora. O jornal dá apenas alguma coisa do que disse. A porra desse jornal também tá do lado dos poderosos. É o jornal que Arturzão assina. Mesmo assim, ouve só o papo do crioulo.

Tutênio olha a mulher que se aproxima, metida numa calça muito justa, faz cara de espanto, todos acham graça, ele prossegue:

– Dante Michelini procurou botar a culpa do crime no Fortunato Piccin, que já tava morto a essa altura. Quando deu a tarefa por concluída, foi para a boate do irmão Jorge Michelini, lá na praia do Camburi, e deu início à comemoração. Pelo que o Clério tá dizendo, houve até dança de iê-iê-iê, pois como o Dante afirmava, o sepultamento da menina seria no dia seguinte, e isso encerrava uma série de problemas.

– Se a coisa foi de fato assim, esse Dante Michelini é um selvagem – diz o barbicha.

– Isso é invenção do porra-louca daquele deputado – acentua Arturzão.

– Clério não é de inventar histórias. Pode ser abilolado, mas não inventa nada – assegura Tutênio.

– Ele tá se baseando em conversa fiada. Não apresentou prova material alguma. Como é que tu acha que essa argumentação vai ficar de pé, cara. Fala menos e procura raciocinar um pouco mais – afirma Arturzão.

– Pra teu governo, quem vai depor, amanhã, é o Dudu. E tenho quase certeza de que confirma o que Clério já disse – assegura Tutênio.

Otinho vem se aproximando, dois garotos gritando atrás, Arturzão manda os pequenos dar o fora. Tutênio chama por ele.

– Vem cá. Dá tua opinião, Otinho. Clério mentiu ou não mentiu, ontem, na CPI?

Tutênio não tem dúvida de que ele deveria estar engrossando a plateia que superlotou a sala da Assessoria Técnica da Assembleia. Otinho, que mistura as estações com muita frequência, olha assustado pros lados, sorri de forma abestada.

– Vamos, cara, te abre – diz Arturzão.
Ele se encoraja, torna a rir:
– Acho que não. O Clério é meio doido.
Arturzão dá uma risada, Tutênio fica desconcertado, explode:
– Doido é tu, cara! Clério sabe muito bem pra que lado o vento sopra. Tu ouviu direito o que ele disse ou te contaram?

Otinho torna a procurar com os olhos inquietos um ponto distante, sorri e vai dizendo coisas que não fazem sentido:
– Ontem não tava lá, não. Adoeci com uma dor no peito que respondia na altura da pá.

Otinho diz isso e procura mostrar o lugar exato onde a dor do peito aflorava, Tutênio se desinteressa por ele, Arturzão ainda diz algumas palavras, depois sente que não dá.
– Ele hoje tá atacado mesmo. É bom nem tá perturbando o homem.

Otinho vai embora, falando com uns e outros e até mesmo com os que nem sequer reparavam nele. Perto de um canteiro, onde há um busto, para e põe-se a recitar trechos de um poema. Os garotos chegam perto, novamente, mas agora não o provocam mais.

O moço de calça clara e camisa esporte vem descendo a rua, seguido de um outro, bem mais alto, que traz uma bolsa de couro a tiracolo e uma máquina fotográfica segura pelas alças. Ninguém os conhece por ali. Quem repara primeiro nos estranhos é Arturzão. O moço se aproxima:
– Sou repórter da *Última Hora*, do Rio. Como é que faço para localizar o deputado Clério Falcão? Fui na Assembleia, mas já se mandou.

Arturzão faz um esforço de memória para dar uma posição certa, Tutênio olha os desconhecidos com displicência.
– Que desejam com Clério?
– Tamos tentando levantar o caso da menina. O jornal quer fazer uma série de matérias.
– Isso é joia.

O repórter se anima, Tutênio é todo entusiasmo.
– Como é teu nome?
– Jorge Elias.
– Isso aqui tá uma zona lascada. Eles matam, roubam, trapaceiam, comem as filhas dos outros e fica tudo por isso mesmo. Passa uns dois dias

nesta ilha maravilhosa que tu volta pra casa com o prato cheio. Em nenhum outro lugar pode haver mais esculhambação.

Arturzão conversa com o fotógrafo Reis, que já preparou a máquina para uma tomada de cena. A tarde está clara, as ruas são pacatas, e as pessoas que por elas andam parecem completamente alheias aos fatos que se desenrolam.

– Como é o Clério Falcão? – quer saber Jorge Elias.

– Um crioulo decidido. Veio de baixo, lá do fundo da lama, e nem por isso se corrompeu. É o que se pode chamar um preto de alma branca. Tem lá os defeitos dele, como todos nós temos, mas não perdeu a vergonha.

– Além de Clério, diz pra ele ouvir também o Dudu – acentua Arturzão.

– Isso mesmo. Dudu é o perito daqui, amigo do Carlos Éboli. Sabe de tudo sobre o crime. Pode te dar boa ajuda.

– O melhor lugar pra encontrar o Dudu é lá pelo fim da tarde, na mercearia do Tilim. O Clério talvez ainda ande pela sede do MDB.

Jorge Elias anota endereços. Reis bate algumas fotos. Tomam o rumo indicado, entram num táxi para economizar tempo.

– Tá vendo? É mais um jornal de respeito que se interessa pelo caso. E outros tão vindo por aí. Tu vai ver só o rolo que isso vai dar – diz Tutênio, desta vez sem pretender irritar o companheiro. Encostado como está no poste, Arturzão não mostra qualquer reação. Limita-se a olhar a revista, onde lê reportagem sobre o jogo do Vasco com o Botafogo.

TRÊS

Poucas vezes os corredores da Assembleia Legislativa estiveram tão cheios. No bar, deputados e funcionários discutem a respeito da CPI, repórteres colhem informações, fotógrafos estouram *flashes*, garçons movimentam-se nervosos. Onde Clério para, forma-se uma roda de curiosos, e as conversas altas se alongam. Numa sala perto, a campainha toca. O crioulo fardado vem chamar Clério. As atenções convergem na direção da sala, muitos são os que entram. Clério toma lugar ao lado do deputado Clóvis de Barros, que preside a CPI, de Aldo Alves Prudêncio, Edson Machado e Juarez Martins Leite. O perito Asdrúbal Cabral está do lado onde ficam as pessoas convocadas a prestar depoimento.

A pergunta inicial é relativa à japona, apreendida pela Polícia, em poder do vigia do Edifício Apolo. Dudu afirma que até a data em que o inquérito policial chegou às mãos do delegado Ildefonso Primo, essa peça não constava dele, bem como outros documentos de importância.

– Quando o inquérito chegou às mãos do delegado Ildefonso Primo – diz Dudu –, veio acompanhado de um ofício do delegado Manoel Nunes de Araújo, no qual aquela autoridade dizia ser possuidora de um dossiê relacionado com os fatos, objeto do inquérito. Em vista desse ofício, Ildefonso Primo solicitou ao ex-delegado Manoel Araújo que lhe remetesse os elementos de que era possuidor para a respectiva inclusão no inquérito. Em resposta, o ex-delegado disse que o que possuía não tinha maior significação.

A uma pergunta do deputado Edson Machado, diz Dudu que o inquérito presidido pelo capitão Manoel Araújo não passou de uma farsa; que Dante Michelini, sendo amigo do capitão Araújo, por certo não poderia ser ouvido por este; que a Boate e Bar Franciscano, de propriedade do sr. Dante Michelini, era o local onde se reuniam o capitão Araújo, o coronel Décio, chefe da Polinter, o major Jorge Devens, que era diretor da Polícia Civil, e o superintendente Gilberto Barros de Faria; que desconhece a razão pela qual a Polícia deixou de ouvir o sr. Paulo Helal; que existe uma fita gravada nos estúdios do perito Carlos de Melo Éboli, onde um ex-empregado da família Michelini faz diversas denúncias; que a gravação alude a fatos ligados às declarações do ex-superintendente de Polícia, Gilberto Barros de Faria, quando afirmou que a sociedade capixaba ficaria estarrecida com a revelação dos nomes dos criminosos de Aracelli; que o motorista que faz as denúncias se chama Bertoldo Lima e os que ouviram a gravação foram unânimes em afirmar: "Esse cara pode se considerar fora do mapa". O deputado Clóvis de Barros faz nova pergunta, Dudu rabisca um papel à sua frente:

– Por ocasião da morte do jovem Piccin, ninguém de sua família foi ouvido pela autoridade policial. Piccin pertencia à patota dos viciados e morreu por excesso de uso de tóxicos.

À indagação do deputado Juarez Leite, afirma:

– A mãe de Piccin – o Nato – assistiu quando lhe foi aplicada uma injeção na veia, o que causou ao paciente dores horríveis, levando-o praticamente ao desespero. No dia seguinte, quando nova injeção lhe seria aplicada, recusou veementemente, apelando à própria mãe, a fim de que o levasse pra casa. O dr. Jefferson Nunes de Aguiar, que receitara as injeções, disse que se fosse pra casa não se responsabilizaria pelo seu tratamento. Por isso, a mãe consentiu em que a segunda injeção lhe fosse aplicada. A partir daí, o paciente entrou em coma. Um novo médico – Rogério Nonato – passou a lhe dar assistência, mas de pouco adiantou, pois no dia seguinte Nato morria. É de presumir-se que Piccin seria o criminoso mais indicado para o caso Aracelli. Há muita coincidência na sua morte e de ser Constanteen Helal, pai de Paulo Helal, provedor da Santa Casa de Misericórdia, onde Nato estava internado. O perito apontou também como fato estranho ao caso o aparecimento do "papa-defunto" Arnaldo Neres, que explora serviços funerários na Santa Casa e no Hospital Infantil.

Ao deputado Edson Machado, responde:

– A ausência da declaração de familiares de Fortunato Piccin no inquérito deve ter ocorrido por conivência dos policiais com os legítimos criminosos. A sucessão de coincidências sobre o fato não deixa margem a dúvidas. Basta citar o exemplo da professora Marlene Stefanon, que de dez vezes chamada à Polícia, nove delas foi ouvida no Bar e Boate Franciscano, na presença de autoridades e de proprietários daquela casa.

A uma nova pergunta do presidente da CPI, declara:

— A entrega de fragmentos de vestes à Polícia, presumivelmente do uniforme da menor Aracelli, dois anos após o crime, constitui apenas mais uma coincidência que compõe o elenco do crime. Na ocasião, eu servia na Junta apuradora, após as eleições de 15 de novembro, quando fui procurado por Ildefonso Primo, que disse haver um fato urgente e estranho relacionado com o inquérito da menor Aracelli. À noite, por volta das 22 horas, no Hotel Tabajara, o delegado Ildefonso Primo me disse ter sido procurado na parte da tarde pelo sr. Dante Michelini, em companhia do capitão Manoel Araújo. Na ocasião lhe entregaram pedaços de veste, que diziam ser do uniforme da menor Aracelli. Explicaram o achado da seguinte forma: Dante e o capitão Araújo resolveram escavar nos fundos da casa onde Piccin havia residido, e não deu outra coisa. O delegado Ildefonso Primo ficou tão surpreso com o "achado" que decidiu não lavrar o competente, *auto de entrega*, o que ocorreu posteriormente, razão pela qual não constam do documento as assinaturas de Dante Michelini ou do ex-delegado Manoel Araújo. O delegado Ildefonso Primo confidenciou a mim que, ao receber os fragmentos de veste, sentiu receio de ser assassinado, dadas as circunstâncias em que foi procurado. Posteriormente eu e Ildefonso fomos à residência da menina Clarisse, ex-colega de Aracelli, na esperança de estabelecer dados comparativos entre os restos de vestes entregues por Michelini e o capitão Manoel Araújo. A mãe de Clarisse nos mostrou um *short*, do mesmo tecido do uniforme de Aracelli. Este não tinha a menor semelhança com os fragmentos "achados" perto da casa de Nato. O *short* de Clarisse e os pedaços de pano descobertos por Dante Michelini e pelo capitão Araújo foram encaminhados à Polícia Técnica, para perícia comparativa. Até fevereiro do corrente ano[2], o resultado dessa perícia ainda não constava do inquérito. Entre junho e julho de 1974 – prossegue Dudu –, quando o perito Carlos Éboli esteve em Vitória, foram feitas novas investigações na casa onde morou Fortunato Piccin. O próprio delegado Ildefonso Primo esteve lá com ele. Todo o terreno foi exaustivamente examinado na esperança de encontrar-se outros vestígios relacionados ao crime, mas tudo foi em vão.

Ao deputado Juarez Leite, responde:

— A presença de Dante Michelini e do capitão Manoel Araújo, conduzindo fragmentos de vestes para entregar à Polícia, foi um artifício a mais

---

[2] 1975.

no sentido de confundir a opinião pública, a imprensa e até os próprios familiares da vítima, objetivando incriminar Piccin, que já estava morto.

Dudu toma um pouco de água, olha o pessoal que se avoluma na sala, tira o lenço, passa no rosto. Os deputados estão surpresos com as afirmações daquele homem de olhar tranquilo.

— Gostaria aqui, senhor presidente — continua o perito —, de rememorar fatos ocorridos há 25 anos, quando era governador do Espírito Santo o sr. Carlos Lindenberg e delegado de Costumes e Diversões meu irmão Arnaud de Lima Cabral. O governador determinou ao delegado que extinguisse o jogo no Estado. O delegado muniu-se dos elementos necessários à ação repressiva, incluindo fotógrafo. Começou pelo Clube Vitória, então, o mais grã-fino da cidade. Para autenticidade do flagrante, foram fotografadas todas as pessoas que estavam no clube envolvidas na jogatina. Para surpresa do delegado, não saiu uma só fotografia. O filme estava queimado. Agora, tantos anos depois, o fotógrafo Elson José dos Santos, responsável pelos negativos do local onde foi encontrado o corpo de Aracelli, deixou-os com seu chefe, Américo Alexandrino Alves, e eles desapareceram. Por coincidência, senhores, o fotógrafo Alexandrino Alves é o mesmo que fotografou os jogadores no Clube Vitória. E o mais estranho também — afirma Dudu — é que, embora os filmes tenham desaparecido há bastante tempo, somente meses depois é que veio ao conhecimento das autoridades. Instaurou-se um inquérito, como de praxe, e este está paralisado.

Ao deputado Edson Machado diz:

— Dos quatro filmes operados pelo fotógrafo Elson José dos Santos, no local em que foi encontrado o corpo da menor, somente um (exatamente o que sumiu) seria de muita valia para elucidação do caso. E é bom que se acrescente que o desaparecimento do filme só se tornou do conhecimento público após desentendimento entre Elson e um seu colega de profissão, chamado Hermes.

— O depoente confirma ou nega a entrevista divulgada pelo jornal *A Tribuna*, de 20 de abril de 1974? — indaga o presidente da CPI, deputado Clóvis de Barros.

— Confirmo. A enfermeira que assistiu Aracelli, momentos antes de sua morte, é Elza Alves, residente em Pedra do Búzio, Vila Velha. Outra enfermeira, cujo nome peço para não ser revelado neste momento, tem conhecimento também do crime e dos criminosos. Embora peça sigilo aqui sobre o nome dessa enfermeira, já prestei os necessários esclarecimentos às autoridades policiais.

– Que poderia nos dizer a respeito do sargento Homero Dias? – pergunta o deputado Aldo Prudêncio.

– Tinha grande conhecimento do crime e estava certo de que fora praticado durante uma orgia de tóxicos. No meu entender, o assassinato desse militar tem íntima relação com a morte da menor.

A sala está em silêncio. Só os telefones de quando em vez tocam, um ou outro espectador tosse. Dudu engole mais um pouco de água, passa o lenço no rosto. Os deputados estão surpresos. Clério Falcão é o único que tem expressão alegre. Todavia, furta-se de interrogar Dudu. Mas o deputado Carlos Alberto Cunha ainda tem uma indagação a fazer.

– Tenho conhecimento – afirma o perito – de que Dante Michelini usa uma carteira de Polícia, expedida pelo ex-superintendente Gilberto Barros de Faria. Soube disso através do noticiário da imprensa. O dono do jornal que noticiou o fato deve ter mais base pra provar o que divulgou.

O deputado Clóvis de Barros dá a sessão por terminada. As pessoas movimentam-se rápidas. Num instante a sala tão silenciosa enche-se de ruídos, risos, palavras altas. Dudu está cercado de curiosos e diversos jornalistas, Clério Falcão discute com um deputado que vê no depoimento o propósito do perito em ferir inocentes. Clério se exalta, outros deputados metem-se na discussão para evitar briga, Dudu agora está no corredor do prédio, os jornalistas praticamente perguntando as mesmas coisas sobre as quais falou durante horas. Olha a mulher de costas, o vestido comprido, as sandálias, aproxima-se. A mulher volta-se, sorridente, não é tia Rita. Continua a ouvir as conversas em torno, responde mecanicamente às perguntas que lhe são feitas, mas, na verdade, o pensamento está longe, na sala pequena, de paredes encardidas, uma janela estreita por onde entrava luz e os pingos de cera quente caindo na água do copo e virando milagre.

QUATRO

O rapaz magro, rosto nervoso, espera Dudu chegar na porta da rua. O perito ainda está acompanhado de numerosas pessoas. O moço se aproxima.

– É verdade que Piccin disse que iam acabar com ele antes mesmo de tomar a injeção?

A pergunta surpreende Dudu.

– De que jornal é você?

– De São Paulo. *Jornal da Tarde*.

– É o que sei e creio que é isso que o pai do rapaz terá de dizer – responde o perito.

Na rua, a confusão não é menor do que nos corredores da Assembleia Legislativa. Dudu só consegue tranquilidade quando o táxi se aproxima e ele vai embora. O carro sobe e desce ruas estreitas, passa na pracinha enfeitada de roseiras, para em frente à mercearia do Tilim. Quando o vê, Tilim fica animado.

– Pelo que diz o noticiário do rádio, o depoimento foi uma bomba.

Dudu se encosta no balcão, indiferente aos dois rapazes que estão perto.

– Foi um massacre, mas não me dobrei. Disse o que tinha de dizer.

Um dos moços apresenta-se como repórter do *Última Hora*, do Rio de Janeiro. O outro coloca a bolsa de couro sobre os caixotes de garrafas, bate fotos. Tilim está acostumado com aquela movimentação. O rapaz de fala mansa vai anotando num bloco o que Dudu afirma. Tilim bota os copos no balcão, abre as garrafas. Agora, na mercearia, há diversas pessoas, algumas que Dudu nunca viu. E quando Clério aparece, então a casa fica repleta. Tilim mostra certo nervosismo para atender a tanta gente ao mesmo tempo. Dudu faz que não repara no nervosismo de Tilim, vai respondendo ao repórter carioca. Clério chega perto, fala alto, gesticula.

– Depois de amanhã, então, é que vai haver mais lenha na fogueira. Tá tudo certo pro depoimento do pai de Fortunato Piccin. Seu Constantino é homem de cabelo na venta. Vai botar pra fora tudo que sabe.

A noite começa a se insinuar, as luzes acendem nos postes, o repórter do Rio se retira, dois ou três advogados também vão embora, a paz volta a reinar na mercearia de paredes cobertas de prateleiras enegrecidas. Dudu manda sair mais uma cerveja gelada, depois mais outra, olha um ponto distante e o que vê são os rostos se formando num copo igual àquele em que tomava cerveja, os rostos que afundavam, que ficavam boiando e os olhos da cigana acompanhando o mistério e a destinação. E, pensando na validade ou não daquelas coisas, nas palavras daquela mulher esquisita, entra em casa, procura pela esposa e não encontra, tira um pouco de comida da geladeira, mete a cabeça debaixo da torneira da pia, senta-se à mesa da cozinha. Não sabe se as profecias de tia Rita têm ou não razão de ser, mas sente no íntimo que já não é o mesmo. Alguma coisa está acontecendo, uma força irresistível o puxa de outras atividades para fazer com que se ocupe exclusivamente do caso Aracelli. Abre a janela porque a noite está quente, liga o rádio, deita-se no sofá. Ali mesmo adormece. Antes que possa acordar, Tutênio já está cercado de amigos e curiosos na porta do Salão Totinho.

– Quero ver agora quem é que vai argumentar contra Dudu.

Arturzão não se incomoda com as indiretas. Metido na sua camisa de listras róseas, bem barbeado como sempre, preocupa-se com o preço do aluguel de um apartamento pequeno. Se não encontrasse um que fosse bom e barato, terminaria alugando uma casa em Vila Velha. Mas só servia perto da praia. Por causa disso, muitas tinham sido as discussões com Tutênio. Por isso, nem comentava mais o assunto e perdia horas lendo os pequenos anúncios, na esperança de encontrar um que fosse a tábua de salvação.

– Pelo que disse Dudu, só resta um caminho à Justiça: a prisão preventiva de uma porção de gente, inclusive dos médicos envolvidos. Isso sem falar nos policiais que interrogaram a professora na própria Boate Franciscano. Alguém já viu esculhambação maior? – afirma Tutênio.

Arturzão diz duas palavras, Tutênio volta-se contra ele.

– Fica lendo teus anúncios, cara. Aqui se tá num papo de gente séria. Não quero mais assunto com *maria-vai-com-as-outras*. Teu caso é cheirar rabo dos poderosos. Vê se eles te ajudam a encontrar um apartamento.

– Deixa de ser bobo, barrigudo de uma figa. O que o Dudu disse na CPI pode ser apenas um jogo de habilidade. Depois, com os outros depoimentos, é que se pode fazer uma ideia a respeito dos culpados. Repara que a coisa foi tão bem arranjada que o Clério nem se atreveu a fazer pergunta.

– Não perguntou nada pra não tumultuar o depoimento, chapa. De mais a mais, o Clério deu uma de cavalheiro, permitindo que os outros deputados fizessem as perguntas que bem entendessem. Não houve conchavo. Cada um entrou no assunto como quis, e o Dudu mostrou que é macho, não tem medo desses filhos da puta. E a hora que o velho Constantino botar a boca no mundo, tu vai ver só. Um profissional como Dudu não mete a mão em cumbuca, ó meu!

Arturzão volta os olhos para a lista de classificados, Tutênio continua a falar. Está suado, o rosto vermelho, os cabelos brancos e lisos caindo de um lado. Grita para o homem que vai subindo a rua de bicicleta.

– Tá sumido, cara!

– É o trabalho, seu Tutênio. Com a perna sarada, tou me desdobrando – responde Manoel Preto.

– E tia Rita?

– Cuidando dos meninos.

– Qualquer hora dessa, vou baixar por lá. Mulher de alcance tá ali.

– Eu tou até recolhendo uns donativos pra comprar uma bicicleta pro garoto mais novo – diz Manoel Preto, tirando uma folha de papel almaço do bolso.

– Qual deles? – quer saber Tutênio.

– O bem pequeno, moreno de cara gorda – explica Manoel Preto.

– Passa depois, que vou ajudar. E se tiver outras pessoas por aqui que possam ajudar, vou tirar dinheiro delas.

O crioulo se equilibra na bicicleta, Tutênio fica olhando.

– Outro dia era um homem aleijado. Tia Rita puxou ele do abismo. Não fosse ela, ia embora. Quero tá com ela. Os ateus que se danem!

Arturzão não aceita a provocação. Está de fato ocupado em descobrir um apartamento ou uma casa, nem que seja lá pros lados de Vila Velha. Mas quando a confusão se torna maior, Tutênio dando risadas e mandando palavrões, ele percebe que é impossível prosseguir. Clério Falcão apareceu, trouxe com ele uma porção de curiosos. O assunto ligado ao depoimento de Dudu volta ao começo. As palavras de Tutênio são para elogiar Clério.

– Não quis fazer perguntas pra deixar o pessoal da Arena à vontade.

— E aí Dudu botou pra quebrar — acentua Tutênio, rindo alto e batendo as mãos.

— Disse o que tinha de dizer. O que é verdade, fato provado — afirma o deputado.

— Provado como, se os depoimentos ainda prosseguem? — interfere Arturzão.

— Só existe uma verdade, meu caro. Pelo fato de outras pessoas serem chamadas a depor, não significa que a coisa certa de hoje seja alterada amanhã — responde Clério.

— Negativo. Nem parece que tu tá estudando Direito. Cada um tem sua verdade. A prova disso é que o acusado não vai concordar com o que afirmou.

Clério sente a profundidade da argumentação. Tutênio também percebe que Arturzão não pode ser contestado, mas não admite que leve a melhor.

— Muda de assunto. A conversa ficou chata. Tá se falando aqui há mais de uma hora e só agora tu resolve te meter. Vai procurar teu apartamento e não aporrinha.

Arturzão faz ar de riso, Clério conversa baixo com dois caras que são de Colatina, o menino oferece revistas a uns e outros, o sol está quente, numa manhã de verão com o mar lá longe azulando na linha do horizonte, ondas de vento ultrapassando a praia para agitar as folhas verdes dos coqueiros.

Tutênio se aproxima de Clério, entra na conversa.

— Tá tudo armado pra se localizar dona Lola em Santa Cruz de la Sierra. Aquela mulher tá começando a preocupar. Sumiu de vez e não manda nem notícia pro filho, só em casa com uma empregada.

— E seu Gabriel? — pergunta Tutênio.

— Também terminou sendo transferido de um lugar pro outro e agora, pelo que dizem, tá na Bahia.

— Nunca vi uma coisa dessa! — considera Tutênio.

— O mal disso é que enfraquece o caso — comenta um dos homens de Colatina.

— Enfraquecer não enfraquece, porque agora se vai até o fim — afirma Clério. — Depois do que já disse e do que Dudu acaba de afirmar, só há um caminho: ir em frente.

— Tu acha que o pessoal indicado por Dudu vai roer a corda? — quer saber Tutênio.
— Talvez sim, talvez não.
— O que Dudu disse, ontem, é da maior gravidade — argumenta um outro homem de Colatina.
— Coisa grave vem aí. Vão ouvir o depoimento do velho Constantino Piccin! Tive com ele e me disse que não esconderá a verdade de ninguém — explica Clério Falcão.
Tutênio dá a volta sobre os calcanhares, esfrega as mãos grandes, diz alto:
— Hoje não vou nem em casa comer. O dia tá cheio. Vamos lá ver seu Constantino puxar os culpados pro meio da praça.
Arturzão não se sente atingido pela provocação. Continua encostado na parede, olhando os classificados. O garoto que vende revistas atravessa a rua, o velhinho de chapéu de feltro pede informação, os homens de Colatina vão embora com Clério.

CINCO

– Silêncio, senhores! Aqui estamos, hoje, 28 de abril de 1975, para ouvir um depoimento que pode ser de grande valia no caso Aracelli – diz o presidente da CPI, deputado Clóvis de Barros.

Nesse momento, entra na sala um cidadão já de idade, forte e de cabelos grisalhos. É o comerciante Constantino Fortunato Piccin. O deputado Clóvis de Barros faz a primeira pergunta.

– Nunca ninguém me procurou para prestar declarações sobre a morte do meu filho – diz o sr. Constantino Piccin. – Somente dezesseis meses após seu sepultamento é que soube estar ele sendo acusado do assassinato da menina Aracelli.

O depoente é convidado a relatar antecedentes:

– No dia 16 de maio de 1973, estava em Colatina. Era uma quarta-feira. Retornei no dia seguinte e encontrei o rapaz acamado. Tinha febre alta e frequentemente vomitava. Chamei o dr. Eli Broto Pires e este, após diversos exames, tranquilizou-me dizendo a mim e a minha mulher que após uns quatro dias de repouso ele estaria curado. Mas no dia 18, uma sexta-feira, ele piorou. Voltei ao dr. Eli Broto. Receitou comprimidos e que se desse banhos quentes em Piccin. Em estado grave, ficou até segunda-feira, quando o dr. Eli Broto resolveu convidar o dr. José Luis Loureiro Martins para colaborar no diagnóstico. Este determinou a imediata remoção do rapaz para a Santa Casa de Misericórdia. Naquele hospital, Piccin foi medicado, a primeira vez, por volta das 16 horas, após uma chapa dos pulmões. De segunda para terça-feira, ficou no soro. O dr. José Luís Loureiro, entendendo não ser de sua especialidade o tratamento do paciente, foi substituído pelo dr. Jefferson Nunes de Aguiar. Na manhã de terça-feira, Piccin estava melhor. Foi sozinho ao banheiro, comeu uma maçã, tomou um copo de suco de laranja. Deixou o leito e passou a sentar-se numa poltrona que havia no apartamento. Estava conversando normalmente e em determinado momento surpreendeu-me com o pedido para que o tirasse daquele hospital. Tentei saber por que não gostaria de ali permanecer, mas não quis entrar em detalhes. No dia seguinte, os pedidos para tirá-lo do hospital eram mais insistentes. Coitado, chegou a prometer que, se o levasse pra casa, comeria tudo que eu ou a mãe dele quiséssemos. Em certa ocasião, quando fazia esses pedidos à mãe, apareceu um médico que disse: "Fortunato, você vai tomar uma injeção, agora".

O deputado Clóvis de Barros interrompe o depoente para um esclarecimento.

– Quem era o médico?
– Jefferson de Aguiar.
– Prossiga.
– Tudo que o rapaz dizia é que não tomaria injeção alguma, pois ia embora pra casa. O médico então disse: "Isso é com você, com seu pai. Na sua casa, não vou poder tratá-lo. Aqui farei o que for possível. Acho que deve tomar a injeção".

O médico saiu do apartamento, mas recomendou à enfermeira que preparasse a injeção. Ela saiu também e quando retornou trazia a injeção pronta para ser aplicada. Piccin manteve-se firme na recusa e eu, sinceramente, fiquei sem saber o que fazer. A enfermeira foi embora e reapareceu uma outra. Era bem mais persuasiva. Tanto assim que Piccin terminou estendendo o braço, mas disse estas palavras, que jamais poderei esquecer:

"Se querem me matar, podem matar!"

Quase no mesmo momento em que a agulha entrou na veia, ele deu um grito e desmaiou. Perguntei à enfermeira se aquilo era normal e ela respondeu que sim. Havia na seringa uns dez centímetros de líquido e toda a dose foi aplicada, embora Piccin estivesse desacordado. Não me conformei com a calma da enfermeira, tratei de examinar o pulso de Fortunato. Constatei que estava fraco, quase sumido. Chamei o dr. Jefferson de Aguiar, respondeu que "não era nada", pois logo depois Piccin recobraria os sentidos. Não me conformei e apelei novamente para o dr. Eli Broto. Este organizou uma junta médica, da qual fazia parte o dr. Rogério Nonato. Após as 16 horas do dia seguinte, Piccin tinha as unhas das mãos e dos pés completamente pretas e não conseguia dizer uma só palavra. Chamei o dr. Rogério em particular, implorei para que, a bem da verdade, dissesse o que estava acontecendo ao meu filho. Ele foi sincero. Disse que Piccin jamais teria salvação. Confidencialmente, afirmou: "O médico tem o direito de errar. E com seu rapaz houve um erro". A junta médica organizada pelo dr. Eli Broto tentou uma transfusão de sangue. Os trabalhos chegaram a ser iniciados. Três minutos após, Piccin deixava de existir. Morreu às 3h40min do dia 24 de maio de 1973.

Ao deputado Aldo Prudêncio, diz Constantino Piccin:

– Não sei por que Fortunato insistia tanto em ir logo pra casa e recusava a injeção. Também não consegui saber o nome da enfermeira que aplicou nele o medicamento. Sinceramente, a partir desse dia, fiquei meio aéreo, e a perturbação tornou-se maior em setembro de 1974, data em que a Polícia Federal de Vitória passou a me procurar para esclarecimentos. Na época, estava em Colatina e, por isso, custei a receber as intimações que eram encaminhadas ao edifício Kennedy, na avenida Beira-Mar, 289, onde tenho um apartamento. De Colatina mesmo telefonei, identifiquei-me e marquei encontro com o sr. Lincoln Gomes de Almeida, diretor da Polícia Federal. Eram mais ou menos 16 horas quando cheguei, e fui logo levado ao seu gabinete. Após uma longa conversa sobre minhas atividades e até mesmo sobre meu comportamento, passou a referir-se a Fortunato Piccin. Fiquei sabendo que meu filho era suspeito de participar num crime. O diretor da Polícia pediu permissão para exumar o corpo e explicou que o "papa-defunto" Arnaldo Neres, funcionando na Santa Casa, escrevera um bilhete à mãe de Aracelli, dona Lola Sanches, dizendo que ficasse tranquila, porque o assassino de sua filha ia ser apontado. O sr. Lincoln não me mostrou o bilhete, mas disse que era datado do dia 24 de maio de 1973, dia em que meu filho morreu. Diante dessas revelações, permiti que o corpo fosse exumado. O policial afirmou que, face ao pouco tempo que fazia da morte do rapaz, toda a verdade seria restabelecida pelos legistas. A seguir, o dr. Lincoln pediu-me uma relação dos amigos de Piccin, e eu lhe respondi não conhecer nenhum. Mas indiquei minha filha Elizabeth, muito ligada a Piccin, como sendo de possível utilidade pra isso. Nessa época, ela já residia em Belo Horizonte. Do próprio gabinete, liguei pra ela solicitando sua vinda urgente a Vitória. Ela manteve entrevista com o diretor de Polícia, mas pouco pôde dizer. Nesse mesmo dia, cheguei em casa e contei a minha mulher o que estava ocorrendo. Disse também do pensamento do sr. Lincoln de que o crime fora praticado com a parceria de Paulo Helal. Nesse particular, a convicção do policial prendia-se a dois fatos: primeiro, de que o bilhete dirigido a dona Lola Sanches partira do agente funerário da Santa Casa; segundo, porque o provedor da mesma Santa Casa era o próprio pai de Paulo Helal. Na longa palestra que tivemos, o sr. Lincoln também disse saber que Paulo Helal era viciado em tóxicos.

A uma pergunta do deputado Juarez Leite, responde o depoente:

– Durante o tempo em que residi na casa 1.161 da avenida Desembargador

Santos Neves, de propriedade de Guilherme Aires, nenhuma autoridade policial ou do Poder Judiciário ali foi pra qualquer exame ou perícia. Não sei, a não ser por notícia de jornal, que o quintal daquela casa foi posteriormente examinado por policiais.

Ao deputado Edson Machado, responde:

— Pessoa da família, que não pude determinar direito, terminou descobrindo que a injeção fatal, aplicada no meu filho, era Valium, de dez milímetros. Mas a seringa de aplicação era grande e o líquido que continha não era inferior a dez centímetros. Disso tenho absoluta certeza. Das enfermeiras me recordo apenas que eram de idade presumível entre 23 e 27 anos, ambas simpáticas. A *causa mortis* atribuída a Piccin foi *malária, hepatite tóxica*. Os funerais foram feitos também pela Santa Casa.

O deputado Clério Falcão pergunta a respeito de novos encontros do sr. Constantino com o diretor da Polícia Federal:

— Após o primeiro contato, o sr. Lincoln disse que tornaríamos a nos ver, todavia não mais me procurou. Um belo dia, soube que tinha sido transferido pra Belém do Pará, sem maiores explicações a respeito do caso.

Respondendo mais uma vez ao deputado Edson Machado, diz o sr. Constantino:

— O único implicado que o sr. Lincoln citou pra mim foi Paulo Helal. Mas deixou fazer crer que outros estivessem envolvidos na mesma quadrilha. Pediu-me absoluto sigilo sobre tudo que conversamos, até que o caso estivesse concluído.

Novamente, respondendo ao deputado Clério Falcão, explica:

— Vi meu filho drogado, a primeira vez em 1969, e a segunda em 1972. Jamais soube ou procurei saber quem eram seus companheiros de vício. Meu filho tinha tudo que um rapaz de sua idade almeja ter, mesmo assim deixou-se perverter. Sempre tivemos vários carros e ele dirigia o mais novo. Tratei-o a vida toda com carinho e atenção. Por sua vez, era um moço educado e querido pelos amigos. Não sei como isso pôde acontecer.

No meio da assistência que ouvia em silêncio as declarações daquele homem de cabelos grisalhos, Dudu estava certo que não omitira nada do que já lhe dissera. Só não falou muito da mulher doente que teve de levar inúmeras vezes para procurar tratamento com médicos europeus. Por isso, em certas ocasiões, o jovem Piccin ficara solto, com muito mais tempo para dedicar-se às farras com a patota. De todo o resto, o sr. Constantino Fortunato falou. Citou até um detalhe que o perito desconhecia e agora poderia ser da maior importância. No sábado, 19 de maio de 73, quando o filho melhorou um pouco da febre, foi até o quintal, de chinelos e pijama. Ficou por lá algum tempo. Eram mais ou menos 7h30min quando procurou o pai e pediu o carro emprestado. Por que uma pessoa doente sente de repente vontade de passear de carro? A indagação não saía da cabeça de Dudu, e ele ouvia todas as outras palavras do sr. Constantino Piccin explicando os fatos:

"Eu lhe dei a chave e marquei no relógio. Rodou pela praia uns dezenove pra vinte minutos. Quando chegou, foi novamente queimando de febre".

Teria Piccin passado todo o tempo dirigindo o carro, pra cima, pra baixo, ou parou em algum lugar, encontrou com alguém?

"Ao meio-dia de domingo – é o sr. Constantino falando, outra vez –, Piccin teve fome. Pediu um pouco de macarrão à mãe. Notei que tava bem melhor. Por volta das 14 horas, foi à ilha dos Guimarães, em companhia da mãe, de dois sobrinhos e de Antenorzinho Guimarães, filho do proprietário da ilha. Quase 16 horas, apareceu conduzindo o carro. Saltou, mal podendo aguentar-se nas pernas. Tinha febre altíssima. Tomou um banho quente, mas a febre não diminuiu. A noite desse domingo pra ele foi desesperadora."

Piccin ficou na ilha dos Guimarães com a mãe, os sobrinhos ou deixou-os lá e tomou outro rumo? Antes da sessão terminar, Dudu tratou de sair. Tem vontade de procurar tia Rita. Nunca antes sentira tanta vontade de chegar diante daquela mulher de longos cabelos negros e rosto nervoso e pedir que o ajudasse a esclarecer aquelas dúvidas. Quando Clério Falcão o vê saindo, manda que espere, mas ele se fez de desentendido. Em poucos instantes, está num táxi, rodando na direção do bairro de Fátima. A tarde é clara, como se a natureza não envolvesse qualquer mistério. As folhas nos ramos parecem bem definidas, e as bananeiras nas encostas dos morros acenam pendões da alegria. Há muitos pescadores na ponte sobre o canal, e a água está azulada, imitando o céu. O motorista, um homem forte de rosto enfezado, não disse uma só palavra desde que entrara no táxi. Também não está com vontade de falar e, por isso, vão avançando pela tarde da estrada poeirenta e em silêncio chegam ao bairro das ruas de terra e de muitas plantas espiando por cima das cercas e dos quintais.

SEIS

Tiziu diz que a mãe não está.
— Foi na casa de seu Henrique Rato.
— Vai lá chamar. Diz que tou aqui.

O pequeno sai correndo, Dudu vê os outros dois no descampado, brincando com Radar. Sente certa alegria em saber que o cão está vencendo a crise e possivelmente escapará vivo. Acende um cigarro, tira algumas baforadas, à sombra dos arbustos floridos, Tiziu reaparece, manda que entre, a mãe está a caminho.

Dudu senta ao redor da mesa, o pequeno torna a sumir. Fica olhando as paredes encardidas e irregulares, os quadros de santos, as flores de papel crepom muito sujas de bosta de mosca.

— Tava tão distraído que não vi a senhora chegar.

Faz ar de riso, pergunta se quer café. Enquanto Dudu explica o motivo da visita, a mulher acende o fogo, coloca água num papeiro. Volta à sala, diz simplesmente:

— Ele falou quase toda a verdade. O que um pai pode dizer do filho na presença de estranhos ele disse. E que seja perdoado pelo resto.

— Mas há umas passagens que não ficaram muito claras — afirma Dudu.

— Eu sei. Piccin foi proibido de sair de casa. Proibido de adquirir tóxicos. A crise quase o levou à loucura. Nas duas vezes em que, mesmo doente, conseguiu escapar, foi tratar de reunir-se aos que podiam lhe fornecer entorpecentes. O rapaz já era um dependente, coisa que seu Constantino não aceitava. Um policial calvo, que foi transferido pra Belém, vem prestar depoimento na CPI. Vão perguntar a ele sobre o encontro com Constantino Piccin. Vai confirmar quase tudo, menos que citou o nome de Paulo Helal como um dos implicados no crime. Na verdade, seu Constantino não mentiu. O policial acha que Paulo Helal é um dos culpados, mas não pode afirmar nada sem ter as provas na mão.

— Cada vez mais, a situação se complica. Não vejo como se desvendar esse caso — queixa-se Dudu, num dos raros momentos de desânimo.

— Também já não vejo saída — diz Rita Soares. — Por isso é que acho que o caso tá entregue a Deus. Só dele vem o castigo. Mas como muita gente já não acredita em Deus, todo mundo por aqui continua se mexendo pra encontrar uma solução. O sargento terminou esmagado. Outros acidentes tão pra vir. Alguns vão atingir a própria cidade, com todos os seus pecados. Mas ninguém tem condição de mostrar o que virá como castigo do céu. Também, de que adianta nossa sabedoria, diante do mistério que nos cerca? Era até engraçado se Deus tivesse se preocupado de dar satisfação pra gente.

Rita Soares coloca café na xícara, põe açúcar, Dudu espera esfriar enquanto ouve a mulher falar, falar.

— Todos nós temos nossa parcela de culpa e vamos ser castigados. Essa é a diferença da justiça divina. A culpa de um crime não começa e termina no criminoso. Vai mais longe: envolve justos e indiferentes. Veja só isto.

A mulher fecha a janela que dá para o canteiro dos lírios e dos copos-de-leite, acende uma vela, coloca-a sobre a lata de leite em pó.

— Veja só o que nos espera.

A chama da vela está firme, até que breves lufadas começam a açoitá-la e vão sempre aumentando de intensidade. Dudu está de olhos fitos na chama que luta para não ser dominada, enquanto os ventos agora são tão fortes que parecem sacudir a própria mesa, a própria sala, a ponto de a janela abrir e fechar diversas vezes, com fortes ruídos. E quando a chama finalmente se apaga, os trovões estalam por cima da coberta daquela casa de aspecto tão frágil quanto a mulher que está à sua frente. Rita Soares levanta-se para prender a janela com o trinco, Dudu percebe que a tarde escureceu, os primeiros pingos de chuva começam a cair, a fazer barulho nas telhas e nas folhas de zinco do teto.

A galinha com os pintos entra para a casa, Rita Soares levanta-se para fechar a porta da cozinha. Dudu fica olhando os arbustos no canteiro que oscilam no vendaval.

"Que poderes tem essa mulher, capaz de desencadear tempestades? Estaria realmente chovendo ou é apenas minha imaginação?"

Aproxima-se da janela, estica o braço, a mão está toda molhada. Rita Soares reaparece, os olhos terrivelmente verdes, e pela primeira vez o perito sente um arrepio percorrer-lhe o corpo. Nunca sentiu medo de ninguém, mas está receoso daquela cigana e de suas possibilidades.

Volta ao seu lugar e fica tão tenso que tem vontade de falar, de dizer alguma coisa. Quando Rita Soares se aproxima e retira da mesa a lata de leite em pó, formula uma pergunta meio sem sentido.

— Por que não faz com que os criminosos de Aracelli se apresentem?

A cigana o encara de forma meio enlouquecida, faz um riso que mostra o dente estragado.

— Porque também devo ser punida. Minhas artes não me defendem.

O vendaval aumentou, a trovoada sopra com força, os respingos caem na mesa, a janela torna a desprender-se do ferrolho, Rita Soares vai até a porta da rua, preocupada com os garotos.

— Devem estar abrigados — diz Dudu, mais para contentá-la.

— Tenho medo de Tuca. Aquele pequeno não é gente.

A porta da rua se abre com força, entra Tiziu todo molhado, entram Tadeu e o cão Radar.

— Onde ficou Tuca?

Tiziu está cansado demais para responder. Senta-se num caixote, perto de Dudu, o cão deita-se dois palmos adiante, a cigana espera que o filho explique o que aconteceu. Mas, antes de Tiziu, quem fala é Tadeu, muito assustado, olhos arregalados.

— A gente tava no campinho, sabe, perto do riacho. Aí Aracelli chegou, ficou olhando o jogo. Começou a chover, Radar saiu correndo pro capinzal, Tuca foi atrás com Aracelli. Depois Radar voltou sozinho. Tiziu ainda saiu procurando pelo mato, mas não achou. Foi o tempo que a chuva engrossou mesmo, e a gente veio embora.

— Aracelli já foi pra muito longe, faz tempo — diz Dudu, imaginando que o garoto estivesse inventando.

— Ela vem sempre brincar com a gente. Gosta mais do Tuca — responde Tadeu.

Rita Soares ajoelha-se num canto da casa, as mãos postas, chora em silêncio. Dudu está surpreso com o irrealismo daquelas pessoas, sente vontade de sair porta afora, procurando o menino que faltava. Ao mesmo tempo, não sabe sequer para que lado ficava o tal campinho, nem qual era o desejo da cigana.

— Tia Rita, se acalme, vamos pensar numa solução.

A mulher como que não escuta, ergue bem as mãos e desta vez chora alto. A chuva continua aumentando de intensidade e de vez em quando a casa é bruscamente iluminada pela luz esverdeada dos raios. Tiziu acende o candeeiro, suspende-o na parede, durante alguns minutos todos ficam em silêncio ouvindo os soluços da mulher.

Num instante em que a tempestade se abranda, Dudu convida Tiziu para ir mostrar onde é o caminho. O menino cobre-se com um pedaço de oleado, dá outro ao perito e lá se vão pelos caminhos encharcados, seguidos de Radar. Dudu arregaça as calças, mas em poucos minutos os sapatos estão enlameados. Chegam ao campinho, transformado num lago, atravessam com a água batendo quase no joelho, vão para os lados do riacho que cresceu muito de volume.

– Tem certeza de que foi pra cá que o menino veio?

– Pra cá, mesmo.

No trecho em que a areia não foi atingida pela correnteza do riacho, vê marcas de pés, Tiziu se apressa em dizer que é o rastro de Tuca. Dudu ouve a explicação do menino sem apresentar qualquer argumentação, sente desejo de prosseguir na caminhada para ver aonde aquelas pegadas vão levar, a chuva faz a roupa colar-lhe ao corpo, dos cabelos ensopados descem gotas que escorrem pelo rosto. E no trecho em que o riacho se encontra com outro, tornando-se mais largo, lá as pegadas desaparecem.

– Será que atravessou o riacho? – pergunta Dudu. – Se tentou isso, é capaz de ter se afogado, vai aparecer boiando aí pelas margens.

– Tuca tinha medo d'água. Não gostava nem de tomar banho – explica Tiziu.

Dudu experimenta atravessar o riacho, a correnteza está forte, os ventos sopram nas copas das castanheiras, o oleado de Tiziu é insuficiente para protegê-lo, Dudu compreende estar sendo imprudente, de nada adianta a busca com aquele temporal. O melhor é retornar, esperar a chuva passar, começar tudo de novo. Como a tarde está no final, diz a Rita Soares que no dia seguinte viria cedo para ajudá-la a encontrar o menino.

– Nenhum de nós pode topar mais com ele.

Dudu está enregelado, sente vontade de tomar um bom trago, não quer alongar a conversa com a mulher que considera fora de si. Esfrega a cabeça na toalha que Tiziu lhe oferece, toma um pouco mais de café, fica olhando a impassividade da cigana e, pela primeira vez, considera que está diante de uma louca. "Mas, se assim é, como poderei ir embora hoje daqui, deixando ela com estes dois meninos?" Um raio mais intenso que os outros inunda a casa de luz, a figura de tia Rita como que se ilumina aos olhos de Dudu. E naquela fração de tempo pôde perceber que ela sorria com a mesma naturalidade com que chorava. Dudu então fica imaginando que nenhum pensamento a respeito da mulher era exatamente certo. Em determinados momentos, parecia uma louca; em outros, era mística; várias vezes mostrara seu poder sobre o imponderável. E também aí Dudu começa a sentir que a razão lhe foge e por muito tempo permanece num estado de torpor, como se estivesse doente ou profundamente exausto. É com extraordinário esforço que se cobre novamente com o oleado e caminha pela rua de charcos até o ponto de ônibus. Mete-se no quarto, toma uma dose dupla de conhaque e, enquanto se enxuga após tomar um banho quente, tudo o que viveu nas últimas horas parece um pesadelo pontilhado de raios, trovões e os olhos verdes da cigana que tudo viam com absoluta impassividade.

"Também devo ser punida. Minhas artes não me defendem."

Deita-se no sofá, acende a luz, fica olhando o teto e recordando a declaração de culpa.

"Quem será realmente tia Rita? Como apareceu em Vitória? Qual sua história? Por que anteriormente era uma mulher alegre, como todos diziam na cidade e, depois, foi se tornando fechada, até chegar a ser sinistra? Como sabe o que se passa com as pessoas?"

Sem resposta para nenhuma das indagações, adormece. Não sabe se a mulher bateu na porta do quarto, chamando-o para o jantar. A luz no teto permanece acesa até o dia seguinte, quando abre os olhos e se assusta, pois não tem ideia de onde está. E, no entanto, já é manhã clara, o sol das nove abrindo caminho num céu limpo de nuvens e de pressentimentos.

SETE

Ao colocar pasta na escova, olhar o rosto no espelho, Dudu vai se dando conta da tempestade da véspera, do menino e do cachorro, aflitos, do campinho transformado em lagoa. Teria de retornar, como prometeu, para ajudar na busca, encarar novamente os olhos verdes de tia Rita, o rosto nervoso, o riso nervoso. Dá dois telefonemas, certifica-se de que o depoimento do policial Lincoln Gomes de Almeida seria na parte da tarde, engole um pouco de café, bota o blusão e sai, entra no bar defronte ao ponto de táxi, compra dois maços de cigarros, avança para o carro que está na ponta da vila, Vovô Gelli abre a porta, cumprimentando-o.

– Quanto tempo a gente não se via.

Dudu responde ao cumprimento do motorista, Vovô Gelli liga o motor, o velho Chevrolet começa a movimentar-se. Mais adiante, ainda nas ruas de trânsito intenso, Dudu faz consideração sobre a tempestade da véspera.

– Tempestade, ontem, por aqui?

Não entende a dúvida de Vovô Gelli, pergunta onde esteve depois das 16 horas.

– Rodando por aí. Se não me engano, pros lados do Camburi.

– E não caiu um toró dos diabos por lá?

– Me desculpe, mas ontem não choveu em toda esta abençoada terra.

Vovô Gelli faz uma careta de quem não está entendendo nada, Dudu desconversa para não parecer que andou de cara cheia; enquanto o carro avança pela avenida de paralelepípedos, vai tentando aclarar os pensamentos. Tem certeza de que ficou no ponto de ônibus pelo menos 20 minutos, que saltou na Capixaba e esgueirou-se pelas marquises até em casa. Quando se levantou e foi ao banheiro, encontrou as roupas molhadas, jogadas num canto, os sapatos enlameados. Se tudo isso é um fato, como então Vovô Gelli põe em dúvida sua afirmação e insiste em dizer que em toda Vitória não caiu um só pingo-d'água?

O carro para no trecho em que a rua é mais larga, a grama cresce rasteira, e as árvores nos quintais brincam de esconder com os ventos. Vovô

Gelli torna a arrancar, acenando com a mão, Dudu segue pelo caminho estreito que dá uma volta, passa por baixo de uns arvoredos copudos, chega à cancela da casa de Rita Soares. Examina com o bico do sapato a terra do chão, vê que tá bastante úmida.

"Vovô Gelli tá ficando maluco."

Tiziu aparece, vem Tadeu em companhia de Radar.

– Cadê a mãe de vocês?

– Foi procurar Tuca – respondeu Tiziu.

– Pra que lado?

– Pro mesmo que se foi ontem.

Dudu ainda encontra muita água empoçada, matinhos rasteiros sujam-lhe as pernas das calças. Passa pela touceira de bambu, chega ao capinzal, depois ao campinho. Acompanha as pegadas que deixara na véspera, encontra o riacho, agora de águas barrentas, vê tia Rita acocorada na margem.

– Alguma novidade? – indaga, aproximando-se.

A mulher não responde. Está atenta à cuia que oscila de um lado para o outro com a vela acesa, dentro. Ora é levada pela correnteza até uma margem, ora volta no sentido oposto, em algumas ocasiões cai no remanso contaminado de galharia seca, vem retornando para o ponto onde a cigana está acocorada.

– Foi aqui que eles sumiram – diz a mulher. – Veja como a cuia sempre volta.

– Isto é muito raso. Não tem nem dois palmos.

– Mas não há dúvida de que foi aqui. Não precisava haver muita água pra gente sumir nela. Nem precisa chover pra haver tempestade.

Rita Soares levanta, Dudu fica olhando a cuia que se distancia.

– Sou obrigado a fazer um registro na Delegacia.

– Não creio que adiante. Quem vai acreditar que Tuca foi embora com Aracelli?

Dudu recorda o que lhe dissera Vovô Gelli, as palavras de Rita Soares se repetem insistentemente. Embora seja cedo, já se sente cansado, caminha calmamente ao lado dela, ambos em silêncio, só o marulhar do rio confundindo-se com o canto dos pássaros. Passam pelo portão de tábuas de caixote, Dudu apoia o braço na mesa.

— Nada do que tá sendo dito na CPI vai adiantar. O esforço agora é no sentido de sumir o corpo da menina — diz Rita Soares. — Vão encontrar um jeito de fazer isso.

— E o depoimento de hoje, será mesmo como prevê?

— O federal deve confirmar quase tudo que o pai de Piccin declarou. Vai negar que apontou Paulo Helal — diz a mulher.

— Como quer resolver o caso do menino?

— Tá resolvido. Foi pra longe da gente. Quando chegar o dia, talvez algum de nós se encontre com ele.

Rita Soares ocupa-se em colocar defumadores nos cantos da casa, Dudu vai embora sem despedir-se. Volta ao apartamento, examina a roupa molhada, os sapatos sujos de barro, entra no bar, pede uma dose dupla de conhaque, reúne-se aos espectadores de Tutênio e Arturzão, vê muita gente subindo e descendo a rua ladeirenta.

— Tu precisava ver como ficou isto aqui, ontem à tarde — diz Tutênio, passando-lhe o braço no ombro. — Tu foi mocinho de cinema pro pessoal, cara. Se surgir uma eleição por aí, te candidata que vai ser eleito fácil. O que tu disse lá nas barbas dos concordinos ainda tá estourando aqui fora. Veio o pai de Piccin e confirmou tudo. Era o que faltava. Agora quero ver quem tem coragem de negar.

— Mesmo debaixo daquela chuva toda ficaram aqui? — quer saber Dudu.

— Que chuva, cara! Aqui fez um sol de verão até de noite — responde Tutênio.

Dudu desconversa, não entende bem o que se passa com ele, talvez esteja trabalhando demais, mesmo assim isso não explica as roupas e os sapatos sujos de barro no banheiro. Tutênio continua falando alto, gesticulando, assoviando para os conhecidos que passam por longe. No meio daquele tumulto, que é normal na porta do Salão Totinho, o perito vai sendo tomado por inexplicável sensação de tristeza e tem vontade de ausentar-se de tudo e de todos, isolar-se num quarto de hotel barato, ficar dois dias inteiros bebendo conhaque, até que se sinta novamente como era. Decide também não procurar mais Rita Soares, pois agora sabe que ela o influencia, é capaz de arrastá-lo a viver irrealidades, num mundo que não existe para os olhos de Vovó Gelli e de Tutênio.

Passa o resto da manhã andando de um lado para o outro, revendo amigos, almoça no "Cavalo de Aço" e, na hora do depoimento de Lincoln Gomes de Almeida, está na Assembleia. Senta-se um pouco no bar, ouve a conversa alta e muito otimista de Clério, ouve outros deputados do MDB que pensam como ele. Dudu acompanha toda aquela movimentação, mas, na verdade, o pensamento está longe, na beira do riacho, onde foi com o menino e o cachorro, debaixo do temporal, procurar Tuca, que evaporou. Acocorada na beira do riacho, a cigana olha a cuia com a vela a rodar no remanso de água barrenta e quando se ergue não está triste com o sumiço da criança. Limita-se a considerar que tinha de ser, era assim mesmo, sem tirar nem pôr. E qualquer iniciativa sua, como o registro do desaparecimento na Delegacia, poderia ser tomada como coisa de louco, pois não tinha como provar nada, a não ser que de fato o garoto existia, os irmãos poderiam confirmar, a vizinhança também.

A sineta toca na sala do lado, metade do pessoal que está no bar desaparece, Dudu movimenta-se para encontrar lugar, Clério Falcão vai para a mesa, ao lado dos colegas que integram a Comissão. O depoente já está presente, é um homem calvo, de rosto magro. A uma pergunta do presidente Clóvis de Barros, responde:

— Fui convidado a participar dos trabalhos de investigação do caso Aracelli pelo delegado Ildefonso Primo e o juiz Waldir Vitral. Assim sendo, estive no local onde o corpo da menor foi localizado e ouvi alguns depoimentos tomados pelo delegado.

A uma outra pergunta do mesmo deputado, diz o depoente:

— Em diversas ocasiões o delegado Ildefonso Primo queixou-se da falta de recursos materiais para prosseguir nas investigações de maior profundidade. Por essa época, também, tomei conhecimento detalhado do inquérito e então pude observar que nada de concreto ali havia; faltavam peças fundamentais, desde a prova material do crime até perícias técnicas e outros elementos que pudessem conduzir a autoridade policial a uma solução. Tive conhecimento, também, de que na data em que o cadáver foi encontrado, morreu na Santa Casa de Misericórdia um rapaz chamado Fortunato Piccin. A morte ocorreu de forma misteriosa, pois nem autópsia do cadáver foi feita. Por isso, e de comum acordo com o delegado Ildefonso Primo, convidei o pai a prestar esclarecimentos, ocasião em que disse do nosso desejo de exumar o corpo.

Ao deputado Aldo Prudêncio afirma:

— Após pedir permissão ao sr. Constantino Piccin para que se exumasse o cadáver do seu filho, fiz considerações diversas sobre o assassinato da menor, mas em nenhum momento citei este ou aquele como suspeitos pelo crime. Certa vez, folheando os autos do inquérito é que deparei com um depoimento acusatório, sobrescrito por uma mulher de nome Marislei. O delegado Ildefonso Primo também mostrou desejo de ouvir Marislei e, por isso, ela foi convocada à polícia. Compareceu acompanhada de uma outra moça que se dizia ex-empregada de uma senhora em cuja casa dona Lola Sanches, mãe de Aracelli, estivera hospedada tempos atrás. Mas, por ser esta profundamente fantasiosa, não foi levada a termo. Ela afirmou ter ido em companhia de Paulo Helal ao local onde estava o corpo da menor.

— O que o levou a julgar o depoimento de Marislei fora da realidade? — indaga o deputado Clério Falcão.

— Não tenho conhecimento pessoal, nem encontro registro histórico, de que um criminoso retorne ao local do crime levando uma pessoa estranha, apenas para comprovar o que de fato fez. E tal foi minha estranheza que solicitei ao delegado Ildefonso Primo fosse dona Marislei encaminhada a um psiquiatra. O delegado então sugeriu que ouvisse sua companheira, pois esta afirmava ter levado um bilhete do papa-defunto Arnaldo Neres, da Santa Casa, para dona Lola Sanches. Esse bilhete não encontrei nos autos do inquérito. Ouvi a moça na presença do delegado, e ela confirmou a versão do bilhete e disse mais: o papa-defunto pedia que dona Lola lhe telefonasse para que narrasse maiores detalhes da morte de sua filha. Essa última parte não constaria do bilhete. Chamamos o marido de dona Lola, sr. Gabriel Sanches, para saber a respeito da existência ou não do bilhete. Ele esteve aqui conosco e afirmou que sua mulher recebera o bilhete e este fora entregue a um *promotor*. Ainda segundo a amiga de Marislei, no papel do bilhete enviado a dona Lola havia o telefone do papa-defunto. Que dona Lola chegou a telefonar para ele. Mas Arnaldo Neres perguntou de onde ela estava falando e quando dona Lola disse, ele desligou.

— E de onde dona Lola tava de fato falando? — indaga mais uma vez Clério Falcão.

— De uma Delegacia de Polícia.

O deputado Juarez Leite faz consideração a respeito do papa-defunto.

– Face à confirmação do sr. Gabriel Sanches de que o bilhete de fato existia, sugeri ao delegado Ildefonso Primo que convocasse Arnaldo Neres para esclarecimentos. E que fosse acareado com a amiga de Marislei. Dois dias depois, o papa-defunto foi levado ao meu gabinete. Mas não pôde ser ouvido e muito menos acareado. Dizia ter tido um enfarte e pedia água. Foi levado ao bebedouro. Como este estivesse seco, o homem sofreu um desmaio. Chamei uma ambulância e foi encaminhado à Santa Casa de Misericórdia. Mas, para surpresa minha, umas duas horas depois passava em frente à Delegacia de Polícia dirigindo um carro da funerária.

– Foi por isso que pediu transferência pra outra cidade? – quer saber Clério Falcão.

– Absolutamente. Minha transferência não tem qualquer conotação com o crime da menina.

– Se o sr. Constantino Piccin teve de chamar a filha, em Belo Horizonte, pra tentar saber quais eram os amigos de seu filho, como pode ter ele lhe dito que o "Nato" andava na patota de Paulinho Helal, Dante Michelini Júnior e Farich? – indaga Clério.

– A mim, ele declarou que seu filho tinha relações de amizade com Paulo Helal, Dante Michelini e Farich. Não disse que eram da sua "patota".

O deputado Edson Machado faz uma pergunta, Lincoln de Almeida toma um pouco d'água, passa o lenço no rosto.

– Conheci o ex-motorista da família Michelini através do delegado Ildefonso Primo. Um dia, saímos com esse motorista, percorremos a região do Camburi e fomos ao Bar Franciscano. Era de tarde e pude observar a saída de mocinhos na faixa dos 16-20 anos, o que me fez comentar a respeito com o delegado.

O depoente diz não se recordar de ter ouvido qualquer notícia a respeito de Dante Michelini usando disfarce para prestar depoimento na Superintendência de Polícia.

A uma pergunta do deputado Aldo Prudêncio, diz ter recebido das mãos do ex-motorista uma fita gravada, mas não teve tempo de ouvi-la. Viu nas mãos do delegado Ildefonso Primo um caderno com desenhos de Aracelli, mas não sabe a que se referiam. Conclui o depoimento afirmando que o delegado Ildefonso Primo tem capacidade de sobra para solucionar "o mistério Aracelli", bastando que para isso lhe deem as condições necessárias de trabalho.

Os repórteres não estão satisfeitos com o depoimento do policial. Tentam interceptá-lo na saída, mas ele se recusa a novos pronunciamentos. Um dos jornalistas fica surpreso:

– Como é que o papa-defunto dá uma de doente, desmaia, se manda, depois aparece dirigindo um carro da funerária e fica tudo por isso?

– Nada mais tenho a acrescentar – é tudo que diz Lincoln Gomes de Almeida.

Dudu continua mais um pouco na cadeira, olhando os que se retiram da sala. Acha que em parte Rita Soares acertou, mas as contradições deixadas no depoimento não lhe permitem considerar o policial isento de suspeita.

– Esse pessoal tá brincando com a gente. Onde já se viu um cara dizer, publicamente, que o papa-defunto veio depor, mas teve um enfarte, desmaiou e foi mandado pra Santa Casa? Depois esse mesmo cara é visto dirigindo um carro, e a Polícia não chama pra novo depoimento. Onde nós estamos? – as indagações são de Tutênio. Exalta-se com as afirmações de Lincoln de Almeida.

– O homem foi prudente. Disse o que podia dizer – afirma Arturzão.

– Disse porra nenhuma, seu merda! Ou ele levou bola da graúda ou foi ameaçado de morte e se mandou. Se seu Constantino Piccin não mentiu em todo o depoimento que deu a respeito do filho, não faz sentido que só tenha mentido na hora de dizer que o federal já relacionava Paulo Helal como um dos implicados – afirma Tutênio.

– Só não entendo que não tenha levado a termo o depoimento da Marislei. Se ele mesmo diz que não tinha autoridade pra examiná-la como psiquiatra, como teve pra considerá-la desequilibrada? – a argumentação é de Dudu.

– E a mulher não é maluca coisa nenhuma – diz Tutênio. – Pode ter dito uma porrada de besteira pra tumultuar. Assim como o papa-defunto desmaiou e duas horas depois tava passeando na frente da Delegacia, como o próprio Lincoln afirmou.

– E por que não chamam a Marislei pra contar sua história perante os honestinos da CPI? – diz Arturzão, disposto a provocar Tutênio.

– É o que vai acontecer. Pode não dar em nada, mas que vai depor, vai – afirma Dudu, que também não engole muitas das declarações de Lincoln Gomes de Almeida.

Quando a discussão diminui de intensidade, Dudu entra no bar, pede um conhaque, fica olhando a roda de curiosos na calçada, Clério Falcão que se aproxima e discute com Arturzão. O garçom destampa a garrafa para outra dose, e aí Dudu faz a pergunta que o vem preocupando há horas.

– Tava trabalhando, ontem?

O garçom responde que sim, sem entender onde queria chegar, Dudu faz um rodeio e finalmente vai ao ponto que interessa.

– Choveu muito, ontem de tarde, por aqui, lá pelas 16h30min?

– Choveu não. Foi dos dias que mais se vendeu cerveja. Precisava ver como tava. Pior do que hoje.

Dudu toma mais um gole de conhaque, o pensamento disperso, a vontade de voltar ao riacho, onde Tuca sumiu, mas sem que Rita Soares soubesse, sem que atraísse a atenção de Tiziu e Tadeu. E, imaginando isso, vai sentindo a mesma tristeza que o dominara de manhã, ao ver a cuia e a vela oscilando no remanso barrento do córrego. O garçom põe mais uma dose, o perito sabe que está exagerando, ainda pretendia encontrar-se com o delegado Ildefonso Primo, contar-lhe o desastre que foi o depoimento do ex-diretor da Polícia Federal de Vitória.

– O que disse é besteira pura. Pode enganar outro, a mim não – grita Tutênio, e as palavras chegam até o bar.

Dudu sabe que está se referindo ainda a Lincoln de Almeida. Clério é da mesma opinião, só Arturzão pondera.

– Vai ver que o homem não podia dizer tudo que sabia. Afinal, que são os deputados pra transformar a Assembleia em Delegacia de Polícia?

– E tu acha que se não se arrastasse essas feras pra lá, alguém ia conseguir algum depoimento? – argumenta Clério, indignado.

Dudu sai do bar, caminha sem destino, ainda é cedo para encontrar Ildefonso, a ideia de procurar o menino não o deixa. Nunca estivera tão confuso, nunca enfrentara um caso tão complexo, em que as poucas verdades existentes vão se diluindo, escorrem por entre os dedos como areia.

"Como que o sr. Lincoln nunca ouviu falar do disfarce de Michelini, se tinha a fita gravada de Bertoldo na mão e nessa fita tava toda a história? Como um policial que tá tratando de um caso, tá metido nele até os cabelos, não tem curiosidade de ouvir uma fita, com a denúncia maior do crime?"

Ildefonso balança-se na cadeira, não diz uma só palavra.
— Que fez a maior defesa tua, fez. Mas que não me convenceu, isso não convenceu — torna a afirmar Dudu.
— Vamos ver o que a Marislei conta pros deputados — diz Ildefonso Primo, finalmente. — Tomara que caia em mais contradições.
— O que disse o psiquiatra a respeito dela? — pergunta Dudu.
— Tamos aguardando o laudo. Não acredito que seja louca. Pode mentir, como qualquer um por aqui.

Agora é o delegado quem se alonga em considerações.
— O próprio Éboli não tem mais esperança nas investigações. Com o desaparecimento das provas materiais básicas, perdeu-se a chance. Ele acredita que somente o tempo pode contribuir pra solução do caso. Uma possível divergência entre os culpados e então podemos ter fatos reais em que nos basear. Fora disso, só um lance de sorte. E eu, particularmente, não acredito em sorte.

Dudu nada comenta. A pergunta que deseja fazer ao colega pode ser considerada disparate, não contribuiria para tirá-lo das dúvidas que o angustiam.
— E se não se chegar a nenhuma conclusão, ainda ficamos desmoralizados pro resto da vida. É uma profissão ingrata — acentua Ildefonso Primo.
— Desmoralizado e louco. Acho que tou perdendo a cabeça — diz Dudu, pegando a garrafa para mais um trago. — De ontem pra hoje vi cada coisa que não consigo entender.
— Todos nós tamos ficando malucos. Já não sei onde começa a verdade e termina a mentira — afirma Ildefonso Primo, balançando-se novamente na cadeira.

A noite está silenciosa ao redor da Delegacia. Só o rumor dos carros perturba aquela paz. Dudu passa o lenço no rosto. Ildefonso atende o telefone.
— É outra maluca, dizendo que viu duas crianças passar voando por cima do seu quintal. Esta cidade tem cada uma de arrepiar.

Dudu não acha graça. Levanta-se para sair.
— E como pôde ver as crianças no escuro?
— Disse que eram luminosas como dois anjos — acentua o delegado.

OITO

Dia 6 de maio de 1975. A sala da Assessoria Técnica da Assembleia Legislativa está lotada. Faltam cinco minutos para o depoimento de Marislei Fernandes Muniz começar, a expectativa é grande. Quando aparece, há murmúrios por todos os lados. É de estatura mediana, morena e simpática. O presidente da CPI, deputado Clóvis de Barros, abre a sessão com uma pergunta, Marislei começa a falar:

– Encontrei Paulo Helal no centro da cidade. Conheci o carro dele pelo toque da buzina. Ele me convidou a entrar, e então rodamos na direção do Colégio São Pedro, na praia do Suá. Já era quase no final da tarde. Parou perto de um bar, me disse pra descer e comprar um sorvete que a menininha àquela hora já estava pra aparecer. Perguntei que menininha, e ele insistiu: "a minha menininha". Eu comprei o sorvete e encontrei uma garota fardada. Do carro mesmo ele acenou com a cabeça que era essa, e eu lhe entreguei o sorvete dizendo que era o "tio Patinhas" quem tava mandando. Voltei pro carro e vi também que havia no banco de trás uma boneca. Perguntei de quem era a boneca, e ele disse que era pra menininha, quando ela merecesse. No carro, insisti pra que me dissesse o nome da menininha, e ele terminou dizendo que era Aracelli. Voltamos pro centro e aí, quando já ia embora, me chamou e mandou que levasse a boneca. Alguns dias depois, tornei a encontrar Paulo Helal quando ia fazer uma consulta no Hospital São Lucas. Me convidou pra dar uma volta e eu aceitei. Quando o carro tava em movimento, tirou um saco plástico do porta-luvas e colocou nas minhas pernas. No saco havia algodão, um outro saco menor com uma substância amarelada e um par de luvas. Perguntei o que era aquilo e ele simplesmente respondeu: "Espera só que tu vai ver". Subimos na direção do Hospital Infantil. Estacionou à direita da via de acesso, saltamos e começamos a andar a pé, entrando pelo matagal. Na fenda de uma pedra, tava a menininha Aracelli, da qual ele falava. Tava nua e pude observar que tinha marcas de dentes nos seios e na vagina, enquanto o rosto tava recoberto de uma substância amarelada, igual à que vira no saco plástico. Perguntei por que se tinha ido ali, e ele respondeu que era pra se certificar de que estava tudo certo. Voltamos, ele mandou que não falasse do que acabava de ver. Fiquei me sentindo mal, e não tive mais coragem de ir procurar o médico no São Lucas.

A uma outra pergunta do presidente da CPI, responde Marislei:

– Não tenho a menor ideia de como a Polícia conseguiu me localizar. Tava na casa de meu pai, em São Torquato, na rua Antônio Dutra, quando apareceu o detetive "Linguinha". Disse que o dr. Alinaldo Faria queria conversar comigo. Junto com o detetive, havia um soldado conhecido por "Baiano". Saí com eles e fui pra Delegacia de Vila Velha, onde permaneci incomunicável três dias. Findo esse prazo, me levaram para o 38º BI, sendo entregue ao capitão Guilherme e ao sargento Mota. Fui acareada com Paulo Helal e tudo que disse tá gravado. A gravação foi feita pelo capitão Guilherme, estando presente também o tenente Geraldo e o sargento Mota.

A uma pergunta do deputado Clério Falcão, responde a depoente:

– Anteriormente, fui detida na Delegacia de São Torquato por uso de tóxico. Sou dependente das drogas e daí minha aproximação com muita gente da pesada. Saibam também que este depoimento não tem nenhum valor. Tudo que acabo de dizer é mentira. A mesma coisa que já disse no 38º BI.

– Então a senhora é de fato uma louca? – argumenta um dos parlamentares.

– Creio que não. Sei bem o que faço. Só que tenho pena de Paulo Helal e não será por minhas acusações que ele vai pra cadeia.

Após o depoimento na Assembleia Legislativa, os pontos de encontro da cidade têm grande movimentação. Pequenos grupos discutem em frente ao prédio dos Correios e no Bar Carlos Gomes, mas a animação é maior diante do Salão Totinho. E, estranhamente, ali quem está inflamado é Arturzão. Por diversas vezes Clério tentou interceder, não deu.

– Vocês têm de aprender uma coisa: não se solta foguete antes da festa começar – afirma ele. – Ontem mesmo este moço aqui (aponta pra Tutênio), chamava o dr. Lincoln de desonesto e medroso, porque chegara à conclusão de que Marislei era maluca. Agora, tá aí. Ela mesma prova isso. Só uma mulher completamente aluada pode fazer o papelão que acaba de fazer e sair da sala de cara limpa como se não tivesse acontecido nada.

– Fez isso porque tá comprada. É uma sacana puxadora de maconha – diz Tutênio.

– Não é o que tu tava dizendo ontem. É por isso que não dou o passo maior do que a perna. Só se fala uma coisa quando se tem certeza, quando se tá com o documento na mão. Já vi muita coisa acontecer nesta cidade e não é agora que vai ser diferente.

– E o que tu sabe a respeito das condições em que foi obrigada a depor no 38º BI? – indagou Clério Falcão.

– Não sei, e tu também não. A mulher disse, inclusive, que foi bem tratada pelos militares. O que é que se vai contra-argumentar? Inventar? Dizer que foi torturada até criar a história maluca pra defender Paulo Helal? Bota a cabeça no lugar, deputado. Se perder a calma, aí mesmo é que não se descobre porra nenhuma.

Tutênio está arrasado. Nunca antes sofrera semelhante revés. Não sabe por onde começar a discussão com Arturzão. Encosta-se no poste, de quando em vez cospe à distância, mais pra disfarçar e não ouvir o discurso que o outro faz.

Dudu se aproxima, vem o homem da barbicha, a mulher com a sacola de compras, a outra que tem uma corcova. Os grupos se dividem, mas a voz de Arturzão parece dominar a todos.

– O grande problema das investigações é que todo mundo falou demais. Clério ficava o tempo todo cantando de galo por aí.

– Cantava de galo e canto porque sei bem o que digo – afirma o deputado, exaltando-se.

Arturzão parece não tomar conhecimento da indignação de Clério.

– Este moço, então (refere-se a Tutênio), vomitava besteira pra todo lado. Agora, na hora da onça beber água, o que se vê é que são um bando de bostas, não têm prova de porra nenhuma e querem de qualquer jeito incriminar os outros.

– Deixa de ser imbecil, cara. Tu quer que o Clério e o Dudu resolvam o caso sozinhos, se a maioria dos envolvidos tá do lado da corrupção? O pai de Aracelli disse na CPI que o bilhete que o papa-defunto mandou pra dona Lola foi entregue a um promotor. Quantos promotores tem a cidade? Por que não se convoca uma reunião com seu Gabriel e não se esclarece, pelo menos, esse ponto?

– Já se tem elemento de sobra pra decretar algumas prisões preventivas; se não veem isso, não é culpa nossa – afirma Clério Falcão. – Tenho certeza de estar cumprindo o que prometi ao eleitorado. Lutei pra criar a CPI. Tá aí, boa ou má, funcionando, botando os podres pra fora. O resto, sinceramente, não é comigo. Pra isso existe Polícia, existe Justiça. Não posso dar conta de tudo. Afinal, não sou a palmatória do mundo. Dou minha contribuição, como Dudu tá dando a dele, com grande sacrifício, como uns dois ou três policiais tão fazendo. Os próprios pais da menina se mandaram. A mãe desapareceu, vem a Vitória aos pulos, o pai achou um jeito de ser transferido pra fora da cidade. Isso é que enfraquece mais a questão. Se estivessem à frente da situação, a coisa seria outra – reclama Clério.

Arturzão cansa de tanto falar, a mulher da corcova relembra fatos ligados a Marislei.

– É uma vagabunda, sim senhor! Conheci aquela mocinha quando morei em São Torquato. Não foi uma vez só que ela teve presa na Delegacia de lá. E tudo porque andava metida com o pessoal dos entorpecentes.

A mulher da sacola de compras também fala, o homem da barbicha dá opinião. Dudu bate o cigarro na caixa de fósforos.

– Não acho que haja motivo pra tanta lamentação. Vocês são realmente uns imbecis, por que ficam aqui perdendo tempo, falando besteira? Se querem colaborar com a Justiça, por que não procuram o que fazer? Por que não vão por aí, ajudar nas investigações? Apareceu uma mulher porra-louca, na CPI, que disse uma porção de coisas e depois desmentiu. E daí? O mundo vai desabar por isso? O trabalho que se tá fazendo deve ser anulado?

– Claro que não. O que tou combatendo, aqui, é a precipitação, tanto do deputado quanto deste merda, que vive o tempo todo iludindo os outros com mentiras – torna a dizer Arturzão.

O homem da barbicha abre o jornal, a foto de Marislei aparece com destaque na primeira página. A mulher da corcova olha e estica os beiços, cospe em sinal de desprezo.

– Isso é uma boa bisca. Tenho pena do marido dela. Como é que um homem vai se meter com uma sujeitinha dessa.

– E acima de tudo é cínica – diz a mulher da sacola de compras. – Nunca vi ninguém mentir com tanto descaramento.

– Deve ser maluca, como disse o policial – acentua o homem da barbicha.

– Sabe muito bem o que tá fazendo. Foi, aliás, o que disse – afirma Tutêmio, tomando ares novos.

Dudu está impaciente para ir embora, Clério quer ir também, mas sente-se no dever de ficar até que Arturzão esteja definitivamente convencido de que o trabalho que vem desenvolvendo não é em vão. Arturzão é que parece já não estar muito interessado em nada. O sol esquentou bastante, a mulher da corcova foi embora, sempre indignada com Marislei, a da sacola de compras se distancia.

– Bem, pessoal, vou jogar um pirão no bucho, porque hoje o mar não tá pra peixe. E quando é assim, é melhor repousar. Só os peixinhos podem ficar por aí, pensando que o oceano é seu. Deixa que eles pensem – diz Tutênio, debochando de Arturzão.

– Tu vai de tarde ouvir a lenga-lenga do Manoel Araújo? – pergunta o homem da barbicha a Tutênio.

– Claro. Tenho de saber o que é que os amigos de Arturzão dizem, pra se poder entender de que lado anda a verdade.

Arturzão está falando baixo com Clério, não liga às provocações de Tutênio. Este caminha pela rua em companhia do homem de barbicha e de Dudu. O perito não consegue esquecer Rita Soares, nem o sumiço de Tuca. E, em dado momento, lembra-se do telefonema que Ildefonso recebeu, da mulher que viu as crianças voando por cima do quintal.

"Por que não investigar, saber pra que lado foram?"

NOVE

Nos corredores do prédio da Assembleia, a confusão está formada. Clério é procurado ora por um grupo, ora por outro, jornalistas metem-se na conversa, fotógrafos estouram *flashes*. Tutênio está numa mesa do bar, não entende o porquê de tanta confusão, disse me disse. No momento em que o deputado chega perto, é que fica sabendo.

– O capitão Manoel Araújo não me quer na CPI. Não presta depoimento se eu for pra mesa.

Dudu opina:

– Acho melhor te guentar por aqui. O que importa é a presença dele. Vai ter de falar. O resto é questão pessoal.

Um funcionário pede silêncio, a campainha toca, o presidente da CPI, deputado Clóvis de Barros, anuncia:

– Estamos aqui reunidos para ouvir mais um depoimento do rumoroso caso Aracelli. Quem nos fala, desta vez, é o encarregado pela formulação do inquérito, capitão PM Manoel Nunes de Araújo.

– Na oportunidade em que se tentava desvendar o crime – diz Manoel Araújo –, foram levantadas três hipóteses pela equipe policial que dirigia: a) o crime teria sido praticado por elemento humilde, que iludiu a menina até o local em que o corpo foi encontrado; b) o criminoso teria utilizado um carro para desaparecer com a menor; c) Aracelli teria sido atraída para uma casa, onde também foi despojada do material escolar.

Abandonou-se a primeira hipótese porque na hora em que ela teria sido arrastada para o local do crime costuma haver movimentação de pessoas por perto. A segunda também foi posta de lado, porque onde o corpo foi abandonado não dá acesso a veículos. Considerou-se bastante a terceira hipótese e nela começamos a trabalhar. Investigamos exaustivamente todas as casas abandonadas de Vitória, e as buscas se processaram em outras, onde residiam elementos com antecedentes criminais. Como na época o Edifício Apolo, localizado na avenida Desembargador Santos Neves, ainda estava desabitado, passou a me preocupar. Numa diligência ali realizada, encontramos dois vigias e uma japona com manchas de sangue. Como a Polícia não tem laboratório especializado, solicitei a colaboração dos médicos Henrique Tomazzi Netto e Deomar Bitencourt Pereira Júnior. Queria certificar-me a respeito das manchas. E, caso fosse sangue, se o tipo coincidia com o da menina. O dr. Henrique Tomazzi pediu-me permissão para convocar outros médicos e ir ao Instituto Médico-Legal retirar sangue do cadáver. Dias depois, a pesquisa tava concluída: era sangue, mas os médicos não podiam determinar se humano e de que tipo. Por essa mesma época recolheu-se, numa Kombi, fragmentos de tecidos que pareciam manchados de sangue. O material foi encaminhado ao Rio de Janeiro. Infelizmente o médico-legista tava de férias e o diretor do Instituto Médico-Legal do Rio informou ao policial encarregado do material que os exames poderiam ser feitos aqui mesmo em Vitória. Aproveitando a boa vontade da equipe do dr. Tomazzi, pedi que fizesse exame idêntico nos tecidos encontrados. Posteriormente, soube que não se tratava de sangue e sim de tinta. Desinteressei-me de lavrar laudo, convencido de que nada havia a investigar. A respeito da japona, soube que fora adquirida por um vigia do Edifício Apolo, ao seu colega da Telest. Quando isso ocorreu, já estava com as manchas de sangue. O vigia da Telest, por sua vez, fora dispensado do emprego, muito antes de Aracelli ser morta. Explica o depoente que os edifícios da Telest e Apolo são ligados, daí o relacionamento dos vigias.

A uma pergunta do deputado Juarez Leite, responde:

– Sou amigo do sr. Dante Michelini. Ele é, de fato, portador de uma carteira de Polícia. Isto o credencia a ter participação nas diligências de apuração do crime. Não sei como, elementos inescrupulosos tentam envolvê-lo no caso Aracelli, quando foi ele próprio quem procurou os dentistas Elói Borgo e Luís Edmundo de Carvalho para os exames de arcada dentária da menor e assim determinar sua verdadeira identificação.

Ao deputado Clóvis de Barros, afirma:

– O ex-corregedor Alinaldo Faria de Souza, hoje promotor-substituto, é quem descobriu Marislei, a moça que conta histórias fantásticas a respeito do crime. Por não ter condições de permanência na Polícia Civil, foi transportada para o 38º BI, cujo Serviço de Informações ajudava nas diligências. Após ser ouvida por minha equipe e componentes do 38º BI, chegou-se a uma conclusão: fazia-se necessária a declaração de Paulo Helal. Marislei afirmava que ele era o criminoso e descia a minúcias. Por isso, procedeu-se a uma acareação. Ao mesmo tempo, precisávamos levar Paulo Helal ao 38º BI. E, na impossibilidade de intimá-lo, resolvemos agir com a cobertura do policiamento do Trânsito. Um guarda foi à sua casa, enquanto outros ficavam de sobreaviso. Acontece que, em vez de aparecer de carro, como os policiais esperavam, o moço surgiu numa moto, sendo alcançado em movimento. Um policial pediu-lhe os documentos. Ele exibiu. Estavam corretos. Aí o policial disse que havia atropelado uma criança na praia da Costa. Paulo Helal então começou a rir e disse que era impossível, pois estava saindo pela primeira vez com a moto. Jamais havia rodado com ela pela cidade. Mesmo assim, terminaram levando-o ao 38º BI. Naquela unidade ficou à disposição do capitão Guilherme, que fez a acareação. De imediato, provou-se que a moça não o conhecia sequer. Diante disso, Marislei foi reconduzida à Superintendência de Polícia. Prestou depoimento perante o promotor de Justiça, Wolmar Bermudes. Durante as declarações, perdeu-se em contradições. De uma parte afirmava ter sido amante de Paulo Helal e com ele estivera no local do crime; de outra, dizia não o conhecer. Diante disso, não encontrei razão suficiente para interrogar Paulo Helal.

A uma outra indagação do presidente da CPI, acentua:

– Não ouvi Dante Michelini Júnior, porque não apareceu no bojo dos autos nada que o incriminasse. Se isso tivesse ocorrido, imediatamente deixaria a presidência do inquérito, por ser amigo do sr. Dante Michelini, como já afirmei.

Ao deputado Juarez Leite, explica:

– Como responsável pelo inquérito, limitei-me a ouvir pessoas que, de uma forma ou de outra, estivessem apontadas como possíveis participantes do crime. Há ainda que considerar o seguinte: durante dois meses, eu e minha equipe nos desdobramos. Primeiramente a menor estava desaparecida, depois se identificava o cadáver, mas a família não o reconhecia. Desta forma, nossa tarefa era procurar a menina viva, perdida por aí; procurar a menina morta e localizar o criminoso. O clímax do nosso drama surgiu quando saí daqui, em companhia de vários policiais, para localizar uma casa branca, com a pedra nos fundos e uma palmeira na frente, lá pros lados da Baixada Fluminense. Isto porque o ilustre professor parapsicólogo Wilson Aragão dizia ver a menina que se procurava nessa casa. Levei até um veterinário comigo, por ser conhecedor da região e cheio de boa vontade. Meu estado emocional, na época, era de tal ordem que, podem estar certos, cheguei a acreditar no parapsicólogo. E isso tudo também aconteceu porque os pais de Aracelli nem de longe admitiam a hipótese de ela estar morta. Também ainda não dispunha de provas concretas que assegurassem ser de Aracelli o corpo encontrado pelo garoto Monjardim.

A uma pergunta do deputado Aldo Prudêncio, responde:

– Tal como acreditei nas sugestões do parapsicólogo, acreditei também numa porção de boatos. Um deles mencionava que a menina teria saído do Hospital Infantil. Procurei o dr. Délio Del Maestro, que me pôs inteiramente à vontade para fazer as pesquisas que julgasse necessárias. Providência idêntica foi tomada com relação ao Hospital Jesus Menino. Mas os boatos eram apenas boatos. Nada de proveitoso tirou-se de todo esse trabalho.

Motivado por uma outra indagação, Manoel Araújo volta a falar de Marislei:

– Trata-se de uma mentirosa, que inventa histórias com a maior facilidade. Por intermédio do policial Barreto pude certificar-me de que no dia 18 de maio de 1973, dia em que Aracelli desapareceu, essa jovem estava hospitalizada numa maternidade em Vila Velha, razão pela qual não podia ter participado dos acontecimentos que idealizou.

Mas adiante o depoente declara:

– Ouvi, na Superintendência de Polícia, a ex-professora de Aracelli, Marlene Stefanon. Suas declarações constam do inquérito. Outra vez, no Bar Franciscano, em Camburi, ela sentou à minha mesa, quando conversamos sobre assuntos diversos e possivelmente sobre o caso Aracelli. Em várias outras ocasiões, no mesmo bar, tornamos a nos encontrar. Mas ela estava sempre acompanhada da senhorita de nome Janete. Algumas vezes, quando falamos, fazia-me acompanhar do major Jorge de Oliveira. Quem me conhece sabe que tenho sido encontrado em muitos outros lugares em companhia desse militar, que é meu amigo particular.

Dirigindo-se ao deputado Juarez Leite, esclarece:

– Conheci o comissário Chagas através de Jorge Michelini. É amigo da família Michelini. Jamais o vi nas dependências da Superintendência de Polícia.

Ao deputado Aldo Prudêncio diz:

– Não conheço a enfermeira Elza Alves. Mas, pelas declarações do sr. Asdrúbal Cabral ao jornal *A Tribuna*, é quem melhor pode informar a Polícia a respeito do crime. Como é de praxe, não cheguei a convocar ninguém por edital para prestar declarações. Todavia, se a enfermeira sabe de alguma coisa sobre a morte da menina e não compareceu para comunicar isso às autoridades, praticou crime de omissão. Não sei se essa enfermeira chegou a prestar declarações às autoridades do 38º BI. Não posso me lembrar se ouvi dona Elza Alves. Mas de uma coisa estou certo: ninguém que interroguei chegou a dizer nada de positivo a respeito do sequestro e morte de Aracelli.

Outra pergunta de um parlamentar e o capitão Manoel Araújo prossegue:

– Não conheço o filho do general Dionísio Maciel e raramente estive na Polícia Federal, durante a gestão daquela autoridade. Quando Marislei foi ouvida na presença do promotor Wolmar Bermudes, salvo engano, o general estava na Superintendência de Polícia. Não tenho conhecimento de que o general haja "tirado" Paulo Helal do 38º BI, na noite em que foi acareado com Marislei. Também não sei informar se o ex-corregedor Alinaldo Faria assistiu à acareação de Marislei com Paulo Helal no 38º BI. Soube, pelo capitão Guilherme, da improcedência das informações que prestou. Posteriormente, quando a submeti a novo interrogatório, constatei que nada sabia. Não ouvi Paulo Helal por julgar desnecessário. Também não houve qualquer recomendação do Comando do 38º BI nesse sentido.

Relativamente ao caso Piccin, morto misteriosamente na Santa Casa de Misericórdia, diz:

– Não conheci Fortunato Piccin. Desconheço Piccin. Desconheço que tenha passado mal no dia em que Aracelli sumiu, sendo internado. Na época de sua morte, sei que correu o boato de que havia se suicidado, fato que despertou curiosidade na população e na própria Polícia. Examinando o atestado de óbito, vim a saber que a *causa mortis* era "impaludismo crônico". Não vi interesse em prosseguir nas averiguações. Não sei se Piccin era ou não conhecido da menina Aracelli.

A expectativa na sala é grande. Todos estão de olhos fixos no capitão Manoel Araújo. Tutênio rói a unha e de quando em vez passa o lenço no rosto. Os ventiladores giram com barulho, um contínuo chega trazendo garrafas de água e copos. A uma pergunta do deputado Clóvis de Barros, esclarece o depoente.

– Jamais recebi de Dante Michelini fragmentos de vestes que fossem, presumivelmente, do uniforme de Aracelli. Muito tempo depois de ter me afastado espontaneamente da presidência do inquérito, frustrado por não ter descoberto nada, recebi um telefonema do dr. Oswaldo Horta Aguirre, juiz federal. Falava ele de uma casa abandonada na avenida Desembargador Santos Neves. Afirmava que a casa era um antro de marginais e que por isso os vizinhos viviam em constante sobressalto. O juiz solicitou-me uma incursão no local, para afastar os malfeitores. Compareci àquela casa, uma noite, acompanhado de alguns policiais. Lá chegando, pela quantidade de estragos existentes, concluí que já estaria abandonada à época do desaparecimento de Aracelli. Surpreendi-me por não haver posto tal casa na minha lista de prédios abandonados. Naquela noite, encontrei um pedaço de pano que se assemelhava ao do uniforme de Aracelli. O pano era de xadrez azul, com fundo claro. Após o plantão e juntamente com o policial Moacir Batista, fui à residência da professora Zolirma, diretora do Colégio São Pedro, onde estudava a menina. Mostrei o tecido e ela disse que não era o mesmo. Não joguei o pano fora. Coloquei num envelope e deixei no porta-luva do carro. Algum tempo depois, fui procurado por Dante Michelini. Ele me punha a par de um problema novo. Contou que seu filho, José Eduardo, servia o Exército, numa unidade do Rio de Janeiro. Um tenente daquela unidade esteve em Vitória e ao retornar trancou o soldado numa sala e quis arrancar dele a confissão de que era um dos responsáveis pela morte de Aracelli. O rapaz, após ser liberado pelo oficial, telefonou para casa, narrando o fato e responsabilizando o pai pelos momentos difíceis que passara. Dante Michelini estava realmente apreensivo e me procurou pra saber que caminho tomar. Eu lhe disse que só havia uma forma de esclarecer a situação: comunicar o ocorrido ao capitão Guilherme que, na época, havia sido transferido para o Rio e tinha conhecimento do caso Aracelli, desde o início. Procurei o endereço que ele me dera antes de viajar, mas não encontrei. Aí me lembrei que o sargento Jobson Mota Lima sabia. Fui com Dante Michelini à casa do sargento, em Vila Velha. Não estava. Dissemos a sua esposa que desejávamos falar com ele, com certa urgência. Horas depois, já em casa, recebi a visita de Jobson. Estava bastante nervoso. Disse que seu irmão havia dado baixa do Exército há dias e sumira. Com minha ida a sua casa, imaginou que tivesse algo desagradável a participar-lhe. Tranquilizei-o quanto a isso e

pedi o endereço do capitão Guilherme. Em seguida, liguei pra casa de Dante Michelini e soube que estava no Bar Franciscano. Fui pra lá, junto com Jobson. Ficamos os três conversando durante algum tempo, quando, então, falei pra Jobson sobre a casa abandonada na avenida Desembargador Santos Neves. Respondeu que gostaria de dar uma espiada, já que ficava no caminho da Superintendência de Polícia, local onde teria de ir atrás de notícias do irmão. Terminamos indo os três: eu, ele e Dante Michelini. Vistoriamos os diversos cômodos da residência, subimos e descemos escadas. Jobson, sempre muito ativo, andou pelo quintal e quando apareceu estava de posse de alguns fragmentos de roupa velha. Ao mesmo tempo, lembrou-se de que Aracelli era aluna só dois meses do Colégio São Pedro e, por isso, sua farda devia ser nova. Mesmo assim, achamos prudente guardar os trapos. Coloquei-os no mesmo envelope onde estava o pedaço de pano quadriculado. Daí partimos para a Superintendência, onde pediu permissão para dar uns telefonemas. O delegado do dia era Ildefonso Primo. Permitiu que Jobson desse seus telefonemas enquanto ficamos conversando. Entre outras coisas, falamos na tal casa abandonada e mostrei-lhe os trapos ali encontrados. O delegado tava bastante satisfeito, a ponto de dizer a Dante Michelini que havia desenvolvido investigações no pressuposto de que estivesse de alguma forma envolvido com o caso Aracelli, mas podia afirmar já estar "desgrilado".
Na saída da Superintendência, o delegado perguntou se podia ficar com os fragmentos de tecido, e eu respondi que estavam às suas ordens. Esta é a real versão dos fatos. Nunca me passou pela cabeça a pretensão de tumultuar as investigações ou induzir o delegado Ildefonso Primo em erro.

– Não sabia de quem era a casa que foi objeto da nossa investigação. Só depois, pelos jornais, fiquei ciente de que fora ocupada pela família Piccin.

Ao deputado Juarez Leite, explica:

– Como estive pessoalmente no local em que o corpo da menor foi encontrado, creio que as fotografias desaparecidas de pouco ou nada elucidariam o fato. Tive conhecimento do sumiço das fotos, colhidas pelo fotógrafo Elson, mas não creio que isso tenha causa dolosa.

DEZ

– O homem ia bem o tempo todo. Depois chegou a ficar patético. Um amor profundo por Michelini, pela causa pública e a felicidade geral da nação. Ouviu o interrogarório de Marislei, participou da acareação no 38º BI, mas não sabe como o Paulo Helal saiu de lá. Coitadinho do capitão Manoel Araújo. Tão bem-intencionado. E o que foi pior: depois de ter *vasculhado* todas as casas abandonadas da cidade, só esqueceu uma: a que ficava no caminho da própria Superintendência de Polícia. Que pessoa estranha, o capitão! E também não interrogou a professora Stefanon na Boate Franciscano. Apenas se encontrou com ela por lá diversas vezes.

Tutênio vai dizendo essas coisas com certo desencanto, Arturzão está perto, folheando um jornal do Rio.

– O homem não vai com tua cara, hem, meu chapa! – diz Tutênio a Dudu, que vem chegando.

– É preciso que ele saiba se a cidade o considera um policial na acepção do termo – responde Dudu. – Os capixabas tão cansados de mentirosos e enrolões. Pelo que disse, nada tem importância. Pra que foram tiradas as fotos, ninguém sabe.

– Clério é que não teve nem vez de entrar na sala – argumenta Dudu, gozando o deputado.

– Foi até bom. Não quero nem ver esse cara. Me dá nojo. Quem o vê falando pensa que é um santo. Tudo certinho. Até a ameaça velada à enfermeira, por crime de omissão. Ele tem tudo certinho, quando se trata da defesa dos poderosos, principalmente dos Michelini. Também, as perguntas que lhe fizeram foram fracas. Nada sobre a morte do pobre Homero Dias. Nenhuma palavra sobre o material que o sargento deixou aos seus cuidados.

Algumas pessoas chegam, Clério fala sem muita vontade, Tutênio não está com apetite para discussões.

– Confesso que o papo do homem me deixou triste. Pobre desta cidade e desta gente. É como gado no curral. Seu Gabriel é que tá certo. Quanto mais longe ficar daqui, melhor.

— O que é isso, cara? Tá desiludido da vida? – indaga Arturzão. – O depoimento do capitão foi apenas mais um. Outros virão. Talvez ainda apareça alguém que justifique os escândalos que o deputado anda fazendo.

— Não faço escândalo nenhum. Apenas aciono os fatos. Jogo merda no ventilador – afirma Clério, um tanto nervoso.

— De que adianta? O homem não reconhece nem o Dudu como policial, quanto mais... – considera Tutênio.

— Mas o Dante Michelini é policial. Tem carteirinha e tudo. Anda armado e faz o que bem entende – acentua Clério.

— Isso não vem ao caso – diz Arturzão. – Não vamos pro terreno pessoal que não interessa. É claro que o capitão tá puto com vocês. Acontece que a história dele tá bem contada. Não adianta o bestoide aí querer esculhambar, que se estrepa. Pode ter um ou outro ponto fraco. No mais, faz sentido. Eu também tava lá e ouvi a mesma coisa que todos ouviram. Não adianta vir pra cá com especulação. É por isso que o carro tá dando pra trás e vai piorar, se continuarem assim.

Clério tira o paletó, afrouxa o laço da gravata, Dudu diz ter um encontro importante. Quando chega em casa vai ao banheiro, acomoda-se no vaso, fica fumando um tempão e olhando a roupa suja, o sapato atolado.

"Naquele dia não choveu, não, seu Dudu! – afirmou Vovô Gelli."

"Foi o dia que se vendeu mais cerveja. Isso aqui tava assim de gente – diz o garçom de cara gorda, servindo conhaque."

"Tuca foi embora com Aracelli, mãe. Atravessou o campinho e sumiu. Tava começando a chover – conta Tadeu."

"Que mundo é esse em que estou vivendo? Que foi feito da minha cidade, com as pessoas tranquilas, passeando pelas ruas, com as praças cheias de balões coloridos e de crianças? Onde estão aqueles que tinham palavra e não eram escravos do dinheiro? Quem é tia Rita? Que poderes tem ela pra me arrastar debaixo de uma tempestade, quando em toda Vitória fez sol quente? Aracelli existe? A menina que tá na geladeira é ela ou dona Lola tá certa, não é sua filha? Quem é seu Gabriel, como chegou a Vitória? E dona Lola? Por que veio parar nestas bandas? E Michelini e o capitão Manoel Araújo? E o pai de Piccin? Como um homem instruído suspeita que mataram seu filho e recebe o corpo pra sepultamento sem submetê-lo a autópsia?"

A cabeça roda, a fumaça do cigarro se esvai na direção do basculante, o apartamento está em silêncio. Olha os objetos familiares, olha as figuras nas paredes, olha o sol traçando um retângulo no chão de ladrilhos lustrosos. A vontade que tem é de sumir para bem longe dali. Esquecer as investigações, as dúvidas, os compromissos assumidos, os insultos e até as amizades.

"Vitória já não é a mesma, seu Dudu. Não a do meu tempo – afirma Vovô Gelli. – Rodo por aí tudo há mais de 30 anos, o senhor bem sabe, nunca pensei que se chegasse a esse ponto. A cidade tá na mão dos malfeitores. Bandido de tudo quanto é tipo vem pra cá e engorda."

Dudu sacode a cabeça. O rosto de Vovô Gelli, de olhos pequenos e azuis, está bem perto. Desde que se entende, conhece o imigrante italiano. O primeiro carro de luxo que Vitória viu passar nas ruas era de Vovô Gelli. Um Packard preto, que enfeitava nos dias de casamento. Ficava quase todo o tempo estacionado debaixo da castanheira, esperando cliente. Vovô Gelli vestia um terno cáqui e nas ocasiões mais importantes botava até o boné, da mesma fazenda. Quando passava pela rua onde a família de Dudu morava, fazia o olhar mais sério do mundo. O carro reduzia nas rodas e na lataria. Dudu o considerava tão importante quanto o governador, ou até mais.

"Os tempos passaram, meu velho. Vitória mudou. Cadê o Packard, cadê o terno cáqui?"

Antes de levantar-se do vaso, Dudu ainda vê os olhos miúdos e inquietos do italiano, o nariz que avermelha no meio do rosto cansado, de barba por fazer.

"Nos tempos do Packard, aqui não corria dinheiro, mas também não se precisava correr atrás dele. Com qualquer coisa se passava, e ainda pude educar dois filhos."

Vovô Gelli relembrava essas coisas, liga o motor, Dudu aperta a descarga. Quando chega ao prédio da Assembleia, encontra Clério tão animado, que tem vontade de perguntar onde comprou otimismo. Mas o deputado está atarefado.

– Vamos entrando, pessoal. Hoje, a coisa vai ser quente. Vamos botar pra quebrar. Quem for podre não aguenta o tranco.

A sala da Assessoria Técnica, como sempre, está repleta. O deputado Clóvis de Barros faz um relato sucinto das atividades da CPI à mulher que está sentada à sua frente. É a auxiliar de enfermagem do Hospital Infantil Nossa Senhora da Glória, de nome Ana Maria Migliorelli de Paiva, brasileira, casada, 40 anos. A mulher está pálida e um tanto nervosa. À primeira pergunta do deputado, diz:

– Fui admitida no Hospital Infantil no dia 22 de maio de 1973. Por lá, o tema de quase todas as conversas era o desaparecimento de Aracelli. Diziam que o corpo da menor apareceu lá perto e eram frequentes as discussões entre os funcionários. Dentre as hipóteses levantadas, havia uma de que, na noite de 18 de maio, Marislei, filha da atendente Maria das Dores, daquele hospital, foi até lá procurar a mãe. Saltou de um carro onde, conforme os comentários, havia outras pessoas. A mãe teria dito a Marislei que lá *não era possível ser atendida* e que procurasse a Clínica Jesus Menino, pois havia pronto-socorro. Pelo que sei, nessa noite estavam de plantão: Maria das Dores, Terezinha Jacinto e João de Souza. Maria das Dores depois nos explicou o seguinte: a filha era casada, mas separada, e tinha um menino que ela, Maria das Dores, tomava conta. Posteriormente, os jornais começaram a noticiar o assassinato da garota, bem como as hipóteses a respeito de sua morte. O nome de Paulo Helal passou a ser citado e fiquei curiosa de conhecê-lo. De certa feita, estava com algumas amigas fazendo feira na praia do Canto, aí uma delas me cutucou e disse: olha o Paulinho Helal. Ele tava num carro verde, tipo esporte. Em outra ocasião, tornei a vê-lo, num carro branco, na rua José Teixeira.

A uma pergunta do deputado Aldo Prudêncio, prossegue:

– Num dia de julho de 1974, tava de plantão e reconheci Paulo Helal, no pátio do Hospital Infantil. Tava de carro, em companhia de uma mulher. Isso aconteceu entre 22 e 23 horas. No segundo dia de plantão, a cena se repetiu e no terceiro vi quando do carro de Paulo Helal saltou a mulher de estatura média, cabelos longos, e entrou no hospital. Paulo Helal manobrou e desceu, vagarosamente, até o meio da ladeira. Curiosamente, fui ver se localizava a tal mulher. Estive no quarto de duas universitárias (acadêmicas), mas não obtive nenhuma informação. Encontrei, então, com Izanir, supervisora, e perguntei a respeito da moça que acabava de entrar, ela não sabia de nada. Procurei

Maria das Dores, não estava. Só reapareceu umas duas horas mais tarde. Num outro plantão, vi um Opala vermelho, do qual saiu a mesma mulher, embora não estivesse com os cabelos soltos. Aí fiquei sabendo que era, de fato, Marislei, filha de Maria das Dores. Encontrava-se em companhia do marido, como disseram algumas colegas, embora soubesse que era separada.

Dudu volta ao apartamento vazio, de janelas fechadas, fogão apagado, bibelôs, na expectativa de alguma coisa que não acontece, estira-se no sofá, aperta o botão do gravador. A voz de Ana Maria Migliorelli recomeça a mesma história. Quando termina, o perito faz novamente voltar ao princípio. Qualquer coisa naquele amontoado de palavras é, de fato, importante. Numa fração de segundo, no espaço de uma palavra para a outra, está a verdade. Mas que verdade? Como surpreendê-la? Fecha os olhos, os ruídos dos carros descendo a ladeira chegam até o apartamento, o suave toque dos sinos assinala as horas.

"Uma maluca viu duas crianças passar voando no seu quintal."

Ildefonso Primo desliga o telefone.

"E como viu as crianças se tá de noite?"
"Disse que eram luminosas como anjos."
"As crianças são luminosas, tia Rita. Não se assuste com o que aconteceu a Tuca. Feliz dele que se foi como os anjos vão. Não ficou pra crescer como nós e depois se perder nesta roda de suplícios. A menina e a corrupção tirando o pouco oxigênio que resta à cidade, inundando os esgotos, alastrando-se no mar."

Abre a geladeira, a lata de salsichas, joga um pouco de manteiga na frigideira, acende o fogo. Depois quebra os ovos, enche um copo de leite. Senta-se no silêncio da cozinha de azulejos brancos, cadeiras recobertas de fórmica, mastiga sem vontade. Os pensamentos estão povoados de anjos denunciados e de criminosos que ninguém denuncia.

"Dante Michelini pegou a máscara que tava no banco traseiro, enfiou na cabeça, saiu com o irmão Jorge na direção da Superintendência."

"E o que foram fazer lá, Bertoldo Lima?"

"Não sei. Essa gente não se abre com motorista."

"Recebi uma fita, mas não tive tempo de ouvir", afirma Lincoln Gomes de Almeida.

"As fotos que sumiram não eram importantes. Eu sei disso", acentua o capitão Manoel Araújo.

"Nada é importante pra eles, tia Rita, muito menos a vida de meninas como Aracelli. Seu Gabriel não tem dinheiro pra que sua dor seja importante. Eu não tenho influência bastante pra ser importante. Pra ser importante, é difícil e não é. Basta ter dinheiro pra dobrar opiniões, conter investigações, fazer sumir documentos, perverter médicos, tramar a morte dos que são teimosos e não se submetem à corrupção."

O telefone toca. É Ildefonso Primo.

– Parece que o Elson tem coisa importante a dizer na CPI. Dudu ouve sem muito interesse o que o delegado vai narrando, acrescenta uma ou duas opiniões, promete estar no depoimento, levar o gravador. Estira-se novamente no sofá, fica olhando o vazio e adormece.

ONZE

Aos 30 dias de abril de 1975, nesta cidade de Vitória, capital do Espírito Santo, na sala de Assessoria Técnica da Assembleia Legislativa, no Palácio Domingos Martins, sob a presidência do deputado Clóvis de Barros, reuniu-se a Comissão Parlamentar de Inquérito, criada pela Resolução nº 1.330, de 15 de abril de 1975, para tomar as declarações do sr. Elson José dos Santos, brasileiro, casado, funcionário público estadual, residente na rua Presidente Kennedy, s/nº, Distrito de Campo Grande, Município de Cariacica, neste Estado.

– Posso dizer – afirma Elson dos Santos – que tou surpreso com o inquérito administrativo por causa do desaparecimento das fotografias. Isso porque o *atelier* fotográfico da repartição tem umas sete chaves, e era lá também que se faziam refeições. Todo mundo entrava e saía, como numa casa suspeita. E, além de entrar e sair, no *atelier* se revelavam fotos de atos indecorosos, praticados por servidores da Superintendência de Polícia. O chefe é Alexandrino Alves. Pra que tenham ideia, basta dizer que nesse *atelier* foi fotografado um rapaz se masturbando. Tinha o pênis tão grande que as fotos serviam de curiosidade pra todo mundo. O próprio superintendente, Gilberto Barros de Faria, mandou requisitar algumas dessas fotografias do moço bem servido. Além dessas coisas, há um outro fotógrafo, o Hermes, que morava no próprio *atelier*. O Hermes também se masturbava e uma vez foi fotografado nu. Junto com os funcionários que entravam e saíam do laboratório, constantemente, apareciam também alguns presos, pra serem fotografados. Em razão disso, espero que os senhores compreendam, não me sinto responsabilizado pelo sumiço das fotos.

A uma pergunta do deputado Aldo Prudêncio, responde:
– No local onde o corpo da menor foi encontrado, bati apenas um filme e não quatro. Esse filme era mais pra ilustrar o laudo. Não tinha nada de importante. Sumiu antes de ser revelado. Fiz o comunicado ao chefe do serviço. Artênico Ribeiro, a Milton Lira, chefe da Seção de Levantamento de Crimes, e a Alexandrino Alves, chefe do Serviço de Perícias Fotográficas. Depois disso,

peguei uma suspensão de 30 dias. O período que levou da comunicação até a suspensão foi de um ano e quatro meses. Em maio de 1973, Alexandrino Alves, Milton Lira e Artênico Ribeiro "legitimaram" uma Kombi, da qual tiraram cabelos e sangue pra exame. Não sei se houve, de fato, a perícia. Sei que as fotos tiradas da Kombi, em 1973, somente em 1975 é que foram reveladas. Não vi luvas no local em que o corpo de Aracelli foi encontrado. As que tavam lá foram levadas por nós. No dia em que fotografei o local, não vi outro fotógrafo por lá. Posteriormente, no entanto, o jornal *O Diário* cedeu negativos à Polícia que eu próprio revelei. Acredito também que, se o perito Carlos Éboli tivesse em mãos as fotografias da Kombi "legitimada", teria elucidado o crime.

Elson toma um pouco d'água, mexe nervosamente as mãos.

– Em setembro de 1974, tive uma reunião no Palácio da Justiça. Era presidida pelo juiz Waldir Vitral. Participaram: Carlos Éboli, coronel Lízio, Gilberto Barros de Faria, Alexandrino Alves, Milton Lima, Manoel Rodrigues, Hermes Ferreira da Silva e Artênico Ribeiro. Aí o superintendente Barros de Faria prometeu ao perito Éboli que lhe entregaria o laudo fotográfico do local onde foi encontrada a menor, dentro de três a cinco dias. Acontece que naquela data já sabia do desaparecimento do filme. Pelo que pude ver, jogaram algum corrosivo no corpo da menor. No meu entender, as autoridades policiais se desinteressaram pelo caso, pois com o laudo fotográfico da Kombi poderiam chegar aos criminosos.

Novamente, respondendo ao deputado Aldo Prudêncio, afirma:

– Se amanhã precisar de uma acareação minha com as pessoas que cito aqui, pode tá certo que vou confirmar tudo que acabo de dizer.

Os policiais na entrada da Assembleia evitam que se formem grupos nos corredores, Tutênio sai numa falação animada, ao lado do homem de cabelos lisos como um índio; Arturzão vem mais atrás, conversando com Dudu; Clério entra para o bar, onde o tumulto é grande.

– Gostei de ver. O cara é fodido. Parece não ter medo de porra nenhuma. Meteram ele no fogo e acabou de se queimar. É assim que se faz. O resto é conversa. Tiravam fotos pornográficas no laboratório da Polícia, e o próprio superintendente queria ver. Acho isso até humano. Não tem muito de errado. Sumir o filme é que agrava a situação.

O homem de cabelo liso sorri, Tutênio está coberto de ruídos e de palavras altas, sacode os braços, bate com os pés no chão. Mais tarde, na roda de amigos, onde a presença de Arturzão é imprescindível, repetirá a mesma dose de otimismo.

— Ontem foi o dia do caçador, velho. Hoje é o dia da caça. Viu que merda que tá a situação? O fotógrafo da Polícia tocando punheta e tirando fotos. E agora? Quem é que vai desmentir, se foi o coleguinha dele quem disse?

Tutênio não deixa sequer Arturzão abrir a boca. Esfrega as mãos grandes, cospe longe, ri alto.

— Vem cá, Sinval! Corre aqui! Tu não sabes da maior!

O motorista se aproxima, limpando os braços num pedaço de flanela. É magro, tem o rosto sério. Quando chega perto, desanuvia a máscara com um sorriso.

— Hoje saiu merda na Assembleia! O Elson botou a boca no mundo, contou a putaria toda que fazem no *atelier* de fotografias da Polícia.

— Ficou doido. Vai ser comida de cobra — diz o motorista.

— O amiguinho deles — diz Tutênio, apontando para Arturzão — é que tá arrependido de ter assistido à sessão. Foi melhor do que cinema. E o bicho não é maluco. Contou tudo direitinho. O filme sumiu, não eram quatro e, sim, um; ele deu o plá pros superiores, ninguém se mancou. Quando o perito do Rio chegou, o Barros Faria ainda prometeu que ia mostrar as fotos que haviam sumido. Quero ver agora é o que o Alexandrino Alves tem pra dizer. Aquilo é uma raposa, mas desta vez lhe cortaram a retirada. Vai ter de se coçar. E muito.

O motorista se retira, a moça alta e magra passa, Tutênio faz psiu, ela não olha, vai em frente, ele faz uma brincadeira com o garoto que vende laranjas, grita por Dudu que está na porta do bar, termina indo ao encontro do perito.

— Tu viu só que bomba?

— Não sei de onde o homem tirou tanta coragem — assegura Dudu. — Pra dizer aquilo tudo, o cidadão tem de ter peito.

— É que o bicho cansou de vê sacanagem. Grilou e estourou.

O garçom traz o copo de chope, Tutênio espera a espuma desmanchar.

— Quem será o próximo?

— Talvez o Alexandrino Alves ou Élcio Teixeira de Almeida. Com um ou outro, vai haver muita contradição — acentua Dudu.

— Puxa! Tou enojado dessa turma. Nunca pensei que nesta cidade se fizesse tanta sacanagem. Imagina no resto. Tenho vontade de me tocar pro meio do mato, esquecer o que vi por aqui – diz Tutênio, que não se aguenta calado.

– É o que penso. Só que não sinto nojo das pessoas. Tenho pena – pondera Dudu.

– Não tenho pena dessa raça. Se puder me pegar, é pra tirar o couro. Acabou esse negócio de piedade, chapa. Agora é no avança – afirma Tutênio.

Clério vem chegando, o paletó no braço, gravata aberta, várias pessoas andando ao redor dele e falando, a mulher da corcova exaltada, o homem da barbicha com jornais debaixo do braço.

– Tá de alma lavada, não? – diz Clério, batendo nas costas de Dudu.

– Valeu a pena. Nunca pensei que o Elson fosse dar aquela crise de honestidade.

– E de coragem. Tá lá em cima comigo. Mostrou que é macho – afirma Tutênio.

O garçom traz mais chope, o homem da barbicha bota os jornais no balcão, a mulher da corcova conversa com outras duas, o assunto ainda é o depoimento de Elson. Clério olha pra elas, sorri, Tutênio afirma alto, no maior descaramento.

– Pra mulherada que tava lá, foi um prato cheio.

DOZE

A tarde está sombria, é provável que chova. Ventos fortes, desde cedo, sopram nas palmeiras, nos arbustos floridos. Há folhas verdes e há flores róseas sobre as calçadas úmidas. A movimentação de pessoas entrando e saindo do prédio da Assembleia Legislativa é considerável. Clério ocupa uma mesa junto com Dudu. O garçom traz o bife malpassado que pediu, Dudu só aceita um pouco de café. Clério mastiga e vai falando. Está afobado, tem uma porção de coisas para fazer, além de participar do depoimento.

– Se não enfrentrar a prova de hoje, tou perdido, irmão – assegura ele.

Dudu apoia os braços na beira da mesa toda suja.

– Parece que desta vez a coisa vai no rumo certo. Por isso é que acho que daqui pra frente, quanto menos se falar, melhor. Em boca fechada não entra mosca.

– Certo. É o que se tem de fazer.

Dudu acha graça porque o deputado não consegue se conter sempre que sabe de uma novidade.

– Tu tem de entender que o segredo é a alma do negócio. Até aqui, o que se tem feito é entregar ouro pros bandidos – torna a dizer Dudu. – Vê lá se eles se abrem. Tão todos na moita. Se tá sabendo de muita coisa, agora, por causa das contradições de um depoimento pro outro. Quando é que se ia saber desses podres que o Elson contou? Nunca!

– Acha que tenho falado demais? – indaga de repente Clério, soltando o garfo e a faca no prato.

– Se tem falado! É só o que tu tem feito. Tou te dizendo isso como amigo. Manera que, de outra parte, tu tem um mandato a zelar. Olho vivo, que cavalo manco não sobe escada.

– E a gente tá mancando?

– E como tá. Agora que a coisa começa a melhorar um pouquinho. Mas do inquérito até o processo o caminho é grande. Não te ilude. Tou acostumado com isso – explica Dudu.

O garçom retira a louça, Clério palita os dentes, fica com o palito nos beiços, vai no rumo da sala da Assessoria Técnica. Os lugares estão quase todos ocupados. Dudu se afasta, Clério senta perto do deputado Aldo Prudêncio. O deputado Clóvis de Barros já procedeu à leitura das notas preliminares. À primeira pergunta, Alexandrino Alves, 50 anos, chefe da Seção de Perícias Fotográficas da Polícia, responde:

– Não tenho conhecimento de que o *atelier* fotográfico sirva pra prática de atos indecorosos, como afirmou, aqui, o sr. Elson. É bem verdade que o fotógrafo Hermes, certa ocasião, deixou-se fotografar, ali, enquanto se masturbava. Quem bateu a foto eu não sei.

Muitas pessoas que estão na sala acham graça. A maior gargalhada é de Tutênio, que procura localizar Arturzão, mas não consegue. O presidente da CPI pigarreia, pede silêncio, Alexandre Alves mexe nervosamente as mãos, brinca com a caneta. Nova indagação é feita.

– Após a cobertura do local em que o corpo da menina foi encontrado, o fotógrafo Elson retirou o filme da máquina, marcou com um X e diz ter posto, juntamente com outros quatro, na minha gaveta, que também não tem chave. Uns três ou quatro dias depois, Elson me chamou a atenção pro desaparecimento do filme. Não tenho a quem atribuir responsabilidade pelo sumiço do material. Estranho, no entanto, que o Elson tenha marcado o filme, pois no laboratório da Polícia os filmes são revelados automaticamente, sem discriminação.

Ao deputado Juarez Leite, responde:

– Nenhuma providência foi tomada no sentido de descobrir o filme ou punir o fotógrafo, porque o objetivo era confeccionar o laudo, e isto aconteceu, graças às fotografias cedidas pelo jornal *O Diário*. O desaparecimento do filme só se tornou do conhecimento do superintendente um ano depois.

A uma outra indagação do deputado Juarez Leite, afirma:

– Não periciei a Kombi. Fez-se apenas uma busca, conforme determinação superior. O material encontrado (fios de cabelo, uma capa de assento com manchas de sangue) foi encaminhado à autoridade superior. Não sei quem trouxe a Kombi até o pátio da Polícia.

Respondendo à acusação que lhe fizera o perito Asdrúbal Cabral, diz:

– Em 1950, fotografei uma mesa de tavolagem, no Clube Vitória, sendo delegado na ocasião o dr. Lima Cabral. Operei com uma máquina nova. Não estava acostumado com ela. Disso resultou que umas fotos não puderam ser aproveitadas. Mas isso não tem qualquer relação com o desaparecimento do filme operado pelo fotógrafo Elson.

O garçom traz o chope. Tutênio esfrega as mãos, diz com voz de falsete:
– O *atelier* é decente, podes crer. Só que uma vez o Hermes tocou uma punheta tão boa que foi fotografado.

Diz isso e ri, provocando riso nos demais.
– Taí, bestoide, como trabalham teus amiguinhos. Em vez de caçar bandido, tão nos *ateliers* batendo punheta. É o próprio chefe do serviço quem afirma. E agora, que é que tu vai dizer pro eleitorado? Acabou aquela encenação do capitão Manoel Araújo. Não há dúvida de que ele representa até bem, mas o pessoal de baixo estraga tudo.

Clério mostra o jornal que divulga sua foto no momento de um escorregão. Dudu olha sem comentários. Tutênio não se conforma:
– Isso é marreta. Tu posou pro fotógrafo. Que queda é essa, cara?
– Nada convence essa peste! – diz Clério, tomando o jornal e mudando de assunto.
– Viu como o Alexandrino respondeu na bucha o ataque do Dudu? Também, de que baú é que tu foi buscar aquilo? O pobrezinho se atrapalhou com a máquina e aí o filme velou. Foi só isso. Viu como ele disse que gosta de servir à causa pública? Não é um desonesto. É que as coisas nem sempre acontecem como se quer, não é, Arturzão?

Arturzão toma o chope, sem pressa.
– Não quero aporrinhação. Já tou muito puto. Vai baixar em outro terreiro.
– O homem tá perdendo a esportiva. Quando a turma dele tá por baixo, fica irritado. Não aguenta firme como a gente. Naquele dia, tu fez um puta discurso de mais de uma hora e não reclamei – considera Tutênio, que logo vira para o outro lado, chama o garçom aos berros, bate palmas, camisa aberta no peito, um medalhão afundado nos pelos.
– Não tá sendo legal com a gente, bicho. Tamos aqui numa boa, e tu some. Traz mais chope e mais tira-gosto. Hoje tou com a macaca.

O homem de paletó e muleta entra no bar anunciando o bilhete do cachorro. Oferece a um, a outro, ninguém quer, torna a gritar:
– Vai dar cachorro! Última fração!

Tutênio interrompe o que está dizendo, grita pelo vendedor:

— É isso que quero. É o dia dos cachorros. Vai ver que tou montado na sorte grande e não sei. Se ganhar, Arturzão, vou resolver o caso do teu apartamento. Não precisa mais nem alugar porra nenhuma. Compro uma merda dessa e te dou, de mão beijada.

— Vou me mandar, pessoal, por causa da prova. Tou cruzinho na matéria. Tenho de chegar uns minutos antes pra dar ao menos uma olhadela no livro — afirma Clério, chamando o garçom.

— Deixa isso comigo, cara. Não vê que tou comemorando? — afirma Tutênio.

Clério desaparece. Arturzão fala da coragem de Dudu, da audácia do Elson:

— Esse pobre só pode tá em desespero de causa. Depois do que disse dos chefes dele, vai se foder fácil.

— Se não acontecer o pior — acentua Tutênio.

— Não acredito nisso. Pode é perder o emprego na primeira malandragem que fizer. Daqui pra frente, vão ficar de olho nele.

— Sinceramente, fico até com pena do Alexandrino, mas a verdade tem de ser dita — afirma Dudu.

— Tia Rita tem razão. A morte da menina tá botando os bofes da cidade pra fora.

TREZE

Dudu não consegue dormir direito, levanta diversas vezes, debruça-se na janela, olha a rua deserta, a praça deserta, os prédios mais altos confundindo-se com a escuridão, as torres da igreja sumidas. Fuma um cigarro, dois, cinco. Logo que começa a clarear, bota a roupa, desce pelo elevador de serviço. Os ventos frios da madrugada batem-lhe no rosto. Vai andando sem rumo definido, toma um café no primeiro bar que encontra, segue pela orla marítima até sentir-se cansado e chamar um táxi.

O carro chega na rua São Paulo. Dudu caminha no terreno coberto de grama, atravessa a várzea, ao caminho, avança até o riacho. Procura as pegadas que deixara no dia da tempestade, não encontra. O solo está liso, lavado, sem qualquer saliência. Sua passagem por ali desapareceu, como desapareceu Tuca. Acocora-se, fica admirando as águas que correm em silêncio. Um riozinho que tem mais pedras do que água. Mas no dia da chuva forte foi testemunha de que subiu, as pedras sumiram, a correnteza fez com que se assemelhasse a um rio de verdade. "E como pode um filete desse ter levado o menino?" Vê a cara assustada de Tadeu, todo molhado, junto com o cachorro e o irmão, dizendo alto para a mãe:

– Venha correndo que Tuca foi embora com Aracelli.

"O garoto sumiu nesse dia ou tava sumido e Tadeu não sabia?"

Os olhos vagueiam pela imensidão da campina, um gavião rondando a certa altura, cantos de pássaros invisíveis abrindo-se como flores silvestres.

– "Quem é de fato Rita Soares?"

– A senhora conhece ela desde quando? – pergunta o perito à mulher morena e magra, de nome Terezinha, uma das moradoras mais antigas da rua São Paulo.

– Pra dizer a verdade, não sei bem. Me lembro que uma vez passou aqui para pedir ajuda. Depois apareceu outras vezes e foi ficando familiar.

As crianças entram e saem da casa avarandada, uma menina é bem parecida com dona Terezinha.

– É sua filha?

A mulher sorri.

– A mais velha. Vai fazer 13 anos.

– Pois é isso. Tia Rita tá nos preocupando.

– Ela fez alguma coisa?

– Não. Apenas curiosidade – respondeu Dudu.

Faz uma pausa, torna a indagar:

– Quem é que mais se dá com tia Rita, por aqui?

– Dona Eduvirges. A que ajudou na procissão. O senhor tá lembrado?

– Dona Maria Milagres também é muito amiga dela – acentua a mulher branca, que chegou sem cumprimentos, sentou-se meio de lado no peitoril, perto da trepadeira.

– Maria Milagres?

– Uma preta, já velha, que faz doce pra vender na Rodoviária. Parece até que conheceu Rita Soares quando era mocinha.

Dona Terezinha vai para os fundos da casa, Dudu fica ouvindo o que diz a mulher.

– Há alguma coisa errada com tia Rita? – indaga de repente. E, sem esperar resposta, acrescenta:

– Gente boa tá ali, meu senhor. Pra mim, aquela mulher é uma santa.

– Nós da Polícia temos dificuldades de encontrar com santos, por isso é que se faz tanta pergunta. Mas não há nada contra ela. Apenas tou recolhendo informações.

A menina reaparece, dona Terezinha, também, trazendo uma bandeja com xícaras de café. Dudu mexe o café, a mulher branca pergunta pela evolução do caso Araceli.

– Tão sendo tomados os depoimentos na CPI da Assembleia Legislativa.

– A família de dona Lola se acabou – diz dona Terezinha. – Nunca vi uma coisa dessa. Parecia tudo tão bem e, de repente, seu Gabriel vai embora, dona Lola viaja desgostosa, o pobre do Carlinhos fica andando o dia inteiro por aí, sem ter quem cuide dele. Esse menino me dá uma pena que vocês nem imaginam.

– Não tá morando com a empregada?

– Tá, mas não sai daqui. Outro dia escreveu uma carta pra mãe e quando terminou, chorou à beça. Aconselhei a não ficar assim, que tudo ia melhorar. Mandou a carta e até hoje não veio resposta. Não sei o que tá acontecendo com dona Lola.

– Outra pessoa que pode lhe dar boas referências de tia Rita é seu Henrique Rato. O senhor conhece? – pergunta a mulher branca, mudando de assunto.

Dudu sacode a cabeça, faz um ar de riso, a mulher não sabe se de aprovação.

– Primeiro vou visitar Maria Milagres. Quem sabe não diz o que tou querendo?

Dona Terezinha vem até a porta, Dudu está novamente na rua de terra solta, ladeada de arbustos empoeirados: capim-gordura, mata-pasto, manjericão. Passa por baixo do pé de mangueira, dobra na direção da oficina de ferreiro, aproxima-se do quintal cercado com hastes de mandacaru. A cancela quebrada de um lado não fecha. Chega ao alpendre, onde há um jirau com panelas de barro emborcadas, uma bacia de alumínio. O cão felpudo, de tão velho, nem abre os olhos.

– Ó de casa!

Não há qualquer movimento no interior do casebre. Dudu avança um pouco mais, desta vez bate palmas. Escuta alguns ruídos, principalmente do cachorro que ladra umas três vezes.

Da escuridão dos cômodos, sai a preta gorda, um olho cego, sobrancelhas brancas, cabelos brancos. Apoia-se no bastão, tem os beiços caídos, mas o rosto guarda expressão de doçura. Para diante de Dudu.

– Bom-dia. A senhora é Maria Milagres?

A mulher não responde. Faz apenas um aceno de cabeça.

– Gostaria de um favor seu.

Convida-o a entrar, mostra-lhe o banco.

– Soube que a senhora mora por aqui há bastante tempo.

– Quarenta e cinco anos – diz Maria Milagres, que sentou num caixote, segurando o bastão.

– Conhece Rita Soares?

– Aquela que faz canjica lá pros lados da ponte?

– Não. A que chamam tia Rita.

A mulher faz um esforço de memória.

— Já sei. A Rita dos Meninos. É assim que o pessoal do meu tempo chamava ela. O que aconteceu?

— Nada. Apenas tou me informando pra saber se pode pegar mais umas crianças pra criar.

— Ela chegou com uma tribo de ciganos. Nesse tempo, nada disso por aqui existia. Aí veio o ano da epidemia de bexiga. Tá lembrado? Metade da população morreu. Os ciganos que tavam acampados morreram também. Só ficou Rita. Com um caco de enxada, cavou uma sepultura e enterrou os pais. Depois ficou ajudando os que tinham doente em casa. Todo mundo se admirava como não pegava a moléstia. Um dia, o filho de seu Mizael Cantanhede foi atacado pela doença. Tava morre não morre, aí Ritinha apareceu. Ficou na cabeceira do menino. Quando dona Mundica Cantanhede entrou no quarto, encontrou Ritinha ajoelhada e na frente dela um anjo puxando a reza. Dona Mundica se ajoelhou também, e desde esse dia Ritinha passou a ser considerada como santa. Na minha opinião, é santa. Tá de passagem neste mundo mau.

— A senhora acredita em anjos?

— Acredito em tudo, filho. Pelo que já vi e deixei de ver, não faz diferença. Só lhe digo uma coisa: o garoto do seu Mizael levantou da rede. Ritinha foi cuidar de outros que tavam mal e nunca pegou constipação, quanto mais...

— A senhora acha que tia Rita devia ser chamada feiticeira?

— Cruz, credo! Não diga isso, homem de Deus! Aquela mulher não faz mal nem pra uma formiga — respondeu Maria Milagres, o rosto sério, beiços trêmulos, o olho bom ressaltado.

Dudu ajeita-se no banco, o cachorro felpudo e lerdo passa de um lado para o outro.

— Vou dizer uma coisa que só a senhora pode saber. Um garoto que tia Rita criava, o Tuca, sumiu. O irmão dele disse que foi embora com Aracelli, a menina que os viciados de tóxicos mataram. Ainda saí com o garoto pra procurar, mas tava dando uma tempestade, o riacho tinha subido muito e não se achou nada. Como pôde isso acontecer?

— Se conhecesse Ritinha, não se assustava. Ela tem poder. Tá cercada de santo. Se fosse vidente, ia confirmar o que digo. Vai ver que o menino era um deles. Como é que a gente vai saber?

— Acontece que, quando alguém desaparece, a Polícia tem de tomar conhecimento. Há uma porção de leis e regulamentos pela frente.

— Esqueça as leis e os regulamento, filho. Isso é que atrapalha um cristão. Cada dia tão complicando mais a vida. Ritinha tá além disso tudo.

— A senhora algum dia se tratou com ela?

— Tratei de uns parentes. Eu nunca adoeci.

— E sua vista?

— Foi promessa. Meu velho tava desenganado. Fui pra praia e invoquei os favor de Iemanjá. Mas ele não era de receber favor. Teve de andança no cangaço, fez coisa feia nesse mundão da caatinga. Aí me desculpei com Iemanjá e implorei pra Exu. A dor dele passou, o corte dele sarou. Ficou bom e voltou pro bando. Um dia de manhã, acordei assim. A cobrança tinha chegado. Nem por isso me entristeço. Palavra é palavra. Exu não esquece.

Dudu corre os olhos pelo casebre. Os móveis são alguns caixotes e o banco em que está sentado. Não há mesa, não há armários. No quarto de onde a preta velha saiu, há uma esteira no chão, uns trapos sujos por cima.

— A senhora mora sozinha aqui?

— Só, com Deus e a Virgem.

— Então, é melhor esquecer o caso do menino? — considera Dudu de modo vago.

— É certo. Ritinha mandou que procurasse?

— Não. Disse que o que tava feito não podia ser mudado. De outra vez, quando voltei lá, encontrei ela acocorada na beira do riacho. Botou a cuia com uma vela acesa dentro, na intenção de localizar o menino. Aí levantou e disse que Tuca tinha ido mesmo embora. Voltamos pra casa e só agora tou falando de novo no assunto. Por isso vim lhe procurar.

— Tá bem assim. Fez bem de não levar o caso pra Polícia. Mais na frente, vai encontrar Tuca outra vez. Aí pode saber se o que essa negra diz é verdade ou não.

CATORZE

Vitória está num dia ensolarado. As encostas cobrem-se de um verde saudável, o mar cerca as ilhas de azul, os navios alteiam as torres coloridas por cima do edifício da Alfândega. O vento que chega às ruas centrais, com gosto de sal e de algas, mexe na saia das mulheres, assanha-lhes os cabelos. As árvores do parque balançam os galhos, e as palmas vigorosas acenam para uma distância em que ninguém repara. Os policiais de luvas brancas e polainas disciplinam a entrada na Assembleia. Tutênio e Arturzão estão em frente ao prédio, esperando que Dudu apareça. Clério chegou mais cedo e já entrou. Arturzão tira amendoim de um saquinho de papel, joga as cascas na calçada.

– Tu não vai entrar lá com isso. Trata de jogar essa porcaria fora – afirma Tutênio. Arturzão não se preocupa. O ex-vereador aparece, faz considerações a respeito do procurador, diz que é homem de topar a parada.

– Esse não recua no que diz. Quero ver se suas declarações vão coincidir com as do capitão Araújo.

Dudu chega, ar de cansaço.

– Onde tu te meteu, cara? – indaga Tutênio.

– Doidejando por aí. Fuçando.

Arturzão atira mais cascas de amendoim no chão. Tutênio olha, torna a repetir:

– Eta bicho porco!

Passam pelos policiais, chegam ao corredor onde muita gente se movimenta, Dudu decide tomar um café, Tutênio acha boa ideia, Arturzao recusa, vai procurar lugar na sala da Assessoria Técnica. O presidente da CPI pede silêncio, Aldo Prudêncio lê algumas notas, os trabalhos são iniciados.

– Estamos aqui, desta vez, para ouvir as declarações do sr. Alinaldo Faria de Souza, promotor da Justiça substituto, lotado na Comarca de Aracruz. Senhor promotor, como explica a não inclusão das declarações de Paulo Helal no inquérito policial?

– Sinceramente, não sei. Certa vez, conversando com o capitão Manoel Nunes de Araújo, um nome da família Helal foi mencionado como possível participante do crime. Ele então me disse ter convidado Constanteen Helal para esclarecimentos no quartel da PM. Na mesma ocasião, Manoel Araújo também me disse que Constanteen Helal terminou não sendo ouvido, porque "tinha vindo ordem lá de cima". Mas não esclareceu quem seriam os "lá de cima". Foi por essa época ainda que, examinando os autos do inquérito, verifiquei nada constar com relação à família Helal. Numa falsa *blitz*, mandei deter Paulo Helal. Dessa medida nem o superintendente de Polícia, nem o secretário de segurança tinham conhecimento. O rapaz foi levado ao 38º BI e ali acareado com Marislei, que lhe fazia graves acusações.

A uma nova pergunta, acentua o promotor:

– Tive conhecimento dessa mulher através do delegado Élcio Teixeira de Almeida, a quem ela narrou, acidentalmente, fatos ligados ao crime da menor. Procurei me aproximar dela, simulando uma conquista. Convidei-a para ir até a praia da Costa. Ela apareceu com uma colega. Apresentei-lhe também um amigo (policial de minha equipe), disse que estava de passagem pela cidade. Aí, conversa vai, conversa vem, falou-se do caso que estava apaixonando a opinião pública. Expliquei que gostaria de saber detalhes, para poder contar aos meus parentes, quando fosse embora de Vitória. Ela passou a narrar detalhes, apontando sempre Paulo Helal como provável autor do crime. Nossa conversa durou mais de duas horas. No dia seguinte comuniquei o fato ao delegado Manoel Araújo e mandamos buscá-la em casa. Quando entrou na Delegacia e me encontrou, ficou surpresa. Voltamos ao assunto e confirmou o que havia dito. Chegou, inclusive, a desenhar um *croquis* do local onde o cadáver foi encontrado. Na Delegacia ela se dizia sem garantias e perguntou a mim e ao capitão Araújo que tipo de segurança podíamos lhe dar. Disse estar ameaçada por elementos da família Helal. Em razão disso, foi transferida para o 38º BI. Novo interrogatório foi feito e, mais uma vez, confirmou o que já havia contado a mim e ao capitão Manoel Araújo. Quando levamos o Paulo Helal à sua presença, para a acareação, afirmou não ser aquele o homem que conhecia e então começou a negar suas próprias declarações. Chamei a moça para uma conversa particular, e ela afirmou ter pena de Paulo Helal. Só o incriminava porque ele a abandonara pelo fato de estar grávida.

– E com relação ao desenho que fez? – indaga um deputado.

– Era a topografia exata do local onde esteve, depois, com policiais da Superintendência.

Nova pergunta. O depoente não aparenta nervosismo:

– O general Dionísio Maciel do Nascimento não teve participação, nem na prisão, nem na soltura de Paulo Helal.

E, logo a seguir:

– Por essa ocasião, o perito Carlos Éboli estava em Vitória dando um curso no Palácio do Café. Em conversa informal, comigo, disse estar com dificuldade para a elucidação do crime, face à precariedade dos elementos contidos no inquérito policial. No meu entender, o perito quis dizer que a perícia produzida por nossa Polícia Civil deixava alguma coisa a desejar, daí a dificuldade para uma conclusão lógica.

Sobre o sargento Homero Dias, declara:

– Não tenho conhecimento de que haja feito um relatório do caso e encaminhado ao capitão Manoel Araújo. Desejo ainda esclarecer que a afirmação do capitão Araújo de que Constanteen Helal não prestou declarações à Polícia, porque "tinha vindo ordens lá de cima" pressupõe que a expressão "lá de cima" tenha referência com o Palácio Anchieta, onde está a Secretaria de Segurança e o próprio governo.

– Taí, foi o tipo de depoimento que gostei: sereno, sem invenções. Acho que o Alinaldo tá dizendo a coisa como é – afirma Arturzão.

– Quando carregou a mão no capitão Manoel Araújo é que vi não ser de brincadeira – assegura o homem da barbicha.

– Pra mim, a parte mais importante foi do *croquis* feito por Marislei. Os policiais foram com ela ao local e conferiram – diz o ex-vereador.

Tutênio atravessa a rua, caminha na direção do Salão Totinho. Vem com o jornal na mão, abre as páginas, até chegar na do editorial.

– Já viram o cacete que *A Gazeta* tá dando no advogado do dr. Helal?

O ex-vereador fica curioso, o homem da barbicha espicha o pescoço, Tutênio encosta-se no poste, começa a ler:

– "A pretexto de contestar as afirmações do deputado Clério Falcão, que lhe atribuíra na véspera, em contato com a imprensa, o reconhecimento de que seu constituinte, Paulo Helal, teria sido o responsável pela morte da menor Aracelli Cabrera Crespo, o advogado Antônio Franklin Moreira da Cunha, depois de acusar o parlamentar de mentiroso e de cidadão 'irresponsável, leviano e indigno da sociedade de que ele diz representar', resvalou para o ataque à imprensa: 'Tudo tenho feito no sentido de não me envolver no imenso caudal das calúnias levantadas através de uma imprensa ávida em ver o circo pegar fogo, mesmo que, para tanto, custe a honra alheia'. E mais: não satisfeito, não perdeu tempo em recomendar a intervenção de autoridades naquilo que classificou de 'propaganda dirigida', onde a preocupação de informar ao povo, no seu entender, 'é menor do que desmoralizar as pessoas mais representativas da sociedade, verdadeira subversão de valores, com objetivo claro e insofismável de desacreditar as elites dirigentes, instaurando-se o caos social'. A que estranhas elucubrações tão esdrúxulas e inconsequentes? Quem será esse irreverente senhor, que, incapaz de avaliar-se de maneira adequada e consciente no contexto de uma sociedade metropolitana, ousa lançar-se qual Quixote insano, tresloucado, contra uma das instituições mais caras do mundo democrático, a liberdade de informar com plenitude, que tão bem caracteriza a imprensa evoluída?"

– Puxa, que espinafração! – diz o homem de barbicha.

– Cala a boca que tem mais – explica Tutênio e recomeça a leitura:

– "Esqueceu-se muito cedo, decerto, que, quando convocada pela família Helal para que seu constituinte se declarasse inocente das acusações a ele imputadas, a imprensa, mesmo sabendo, antecipadamente, que o sr. Paulo Helal assim se pronunciaria, todos os órgãos da imprensa vitoriense lá se fizeram presentes. E o sr. Moreira da Cunha nem sequer pode negar, porque em nenhum instante deixou de assessorar seu cliente, que todos os jornais e emissoras de rádio e de televisão, mesmo considerada a diversificação do comportamento editorial de cada órgão, foram absolutamente fiéis ao transmitir à opinião pública os fatos e informes ali colhidos.

É lógico que não reconhecemos, sequer admitimos, uma oblíqua possibilidade nesse sentido, a mínima autoridade no sr. Moreira da Cunha, para que assim se comporte em relação à imprensa – nem ele nem em ninguém mais. Como não acreditamos possa a idiotice de seus parcos conceitos sobre o papel da imprensa ser acolhida pelas autoridades que, como nós e toda a comunidade, desejam ver recuperados pela lei os criminosos até aqui encapuzados pela ignomínia de um anonimato que fere os brios da sociedade."

– Puxa, isso é pior do que xingar a mãe do cara! – comenta o ex-vereador.

– "O rumoroso caso Aracelli – prossegue Tutênio – continuará sendo assunto de primeira ordem para a imprensa capixaba – queiram ou não os quixotescos defensores da mordaça, eles, sim, subvertidos e subvertores da ordem democrática – até que finalmente a verdade surja nua, crua e soberana. Porque a sociedade capixaba, mercê de seu direito inalienável, quer saber, em seus mínimos detalhes, como se processa a busca daqueles que, no anonimato e na sombra, ainda são uma constante ameaça a milhares e milhares de outros inocentes, igualmente passíveis, como a pequenina Aracelli, de serem vitimados de crimes brutais e monstruosos."

– Fiiiuuuu! – assovia Tutênio, dando a leitura por encerrada. – Se isso fosse comigo, pegava a trouxa e me mandava.

– É briga de comadre. Daqui a pouco tá tudo bem – diz Arturzão.

– Não quero saber de daqui a pouco, cara. Tou falando do que tá aqui no papel, quente como brasa – augumenta Tutênio. – Amanhã tem mais. Quando a mulher do sargento botar a boca no mundo, quero ver o que vai acontecer.

– Dona Elza vai depor? – indaga o homem da barbicha.

– Já tá confirmado. Agora se sabe de uma vez se o capitão Manoel Araújo mentiu ou não – prossegue Tutênio.

– O negócio dela vai ser na base da emoção. Não viu porra nenhuma, não sabe de nada, como é que pode falar? – considera Arturzão.

– Pra ti, o bom é como tá. Não foi tua filha que eles estreparam, tá bom. Tu é um tipo sacana que só vê as coisas no interesse próprio – afirma Tutênio, nervoso.

O homem da barbicha disfarça, faz que relê o editorial, o ex-vereador puxa outro assunto, a discussão se desfaz.

CAMINHO SEM VOLTA

As previsões que se confirmam

UM

Dudu está sentado em frente ao delegado Ildefonso Primo. Poucas pessoas movimentam-se na sala àquela hora. A noite é escura, os telefones tocam, os casos denunciados não têm importância.

– Acho que, por maior esforço que se faça, as investigações não andam. Olha que se tem lutado, mas não adianta. Volta-se fatalmente ao começo e aí se permanece, como barata tonta. É o que somos: umas baratas tontas.

Dudu ouve o desabafo do delegado.

– E o que me deixa furioso é que perante os outros se fica como responsável pelo não andamento dos trabalhos.

– Quanto a isso, creio que não deva se preocupar – afirma Dudu. – O pessoal que acompanha o caso Aracelli sabe muito bem pra que lado o vento sopra. Pelo que já se declarou à imprensa, pelo que foi publicado, pelos depoimentos que a CPI tomou, tudo indica que, no mínimo, três pessoas tão envolvidas: Paulo Helal, Michelini Júnior e Marislei. Isso sem contar as mortes misteriosas de Homero Dias e Fortunato Piccin. Cadê a tal exumação que o Lincoln de Almeida ia mandar fazer? E o depoimento do Elson a respeito da Kombi que não foi periciada de propósito? Ora, vamos devagar. A Secretaria de Segurança não se movimenta porque não quer.

O delegado brinca com uma espátula, ouve mais um telefonema, diz palavras baixas, Dudu se levanta, vai até a janela, vê os carros que passam de faróis acesos.

– Também, o Clério bagunçou demais o coreto. Transformou o crime numa espécie de circo.

– Exato. Mas não esqueça que foi ele quem fez a CPI vir à tona. Se não fizesse a onda que fez, jamais a Comissão seria criada. Bem ou mal, agora todos sabemos de uma porção de histórias fantásticas.

– O certo é que os responsáveis pela chacina da menina tão bem articulados. Sabem os fios que puxam – afirma Ildefonso, bastante decepcionado.
– Às vezes, tenho vontade de ir embora daqui. Largar tudo, esquecer tudo, desaparecer.

— E, por acaso, pensa que os outros lugares são melhores? Sai dessa. Não adianta desanimar. O que importa é trabalhar em silêncio, como sempre procurei fazer o Clério entender.

Caminham um bom pedaço da rua a pé, Ildefonso mantém-se quase o tempo todo calado. Dudu convida-o para um chope no barzinho com as cadeiras na calçada. O delegado está com ar de cansaço, apoia o braço na mesa.

— Precisa tirar umas férias, dar um passeio por aí. Sozinho ninguém resolve essa parada.

As considerações de Dudu ficam sem resposta. O garçom chega com os chopes, um gato passa perto, o menino aparece com a caixa de engraxate, a velhinha com o pano preto amarrado na cabeça pede esmolas.

— Quanto tempo o pessoal da CPI vai levar pra apontar os relatórios?

— Pelo que ouvi o Clério falar, uns quinze dias. Não é muito — considera Dudu.

— Cada vez mais acredito no que o Éboli disse. Só uma desavença entre os criminosos nos levará a saber alguma coisa de concreto. Mas quando essa divergência vai surgir?

O desânimo de Ildefonso não atinge Dudu, mas termina por deixá-lo indiferente. O pensamento está longe, no riacho bifurcado que se junta depois do campinho, na cara de espanto de Tadeu, todo molhado e dizendo à mãe que Tuca fora embora com Aracelli, nos ventos fortes que sopravam, na chuva que lhe batia com força no rosto. Quando retorna à mesa, motivado por uma reclamação maior do companheiro, não sabe bem o que ele diz, nem tem coragem de participar-lhe o que vira naquele dia de vendaval, em que voltou para casa enlameado, embora Vovô Gelli e Tutênio insistissem em dizer que não havia caído uma única gota-d'água em toda a cidade.

— Por mim, faria o reexame do caso a partir do local em que o corpo foi encontrado.

O carro desenvolve boa velocidade, Dudu não responde logo às preocupações do delegado, por isso ele divaga mais um pouco.

— Acontece que muitas peças do jogo já estão eliminadas. Isso altera qualquer novo levantamento que se faça. Veja só: Homero Dias tá morto, Piccin tá morto, Jorge Michelini também. E pra agravar a questão, dona Lola sumiu. Pra mim, desde o começo, essa mulher procurou se esquivar da Polícia.

— Acha isso?

– Claro. De início, a questão dela era quanto à identificação do corpo. Depois surgiram outros problemas relativos à saúde. Em seguida, não sei se você sabe, o serviço de crédito andou à procura dela pelos quatro cantos da cidade. Pelo que sei, uma das firmas lesadas é a Distribuidora Mercantil. Que mãe é essa que na hora em que a cidade tá toda empenhada em resolver a morte da filha, se mete em fazer compras que não pode pagar! Não entendo isso, sinceramente. E pode tá certo, que o dia que encontrar seu Gabriel, vou tentar esclarecer a dúvida com ele. Não me conformo.

Ildefonso prepara-se para deixar o táxi.

– O que se tem de fazer é descobrir um ângulo novo de abordagem do caso. Acho perfeitamente válido que se tente ouvir dona Lola.

Dudu faz ar de riso, o delegado acena com a mão, o carro segue em frente.

– Onde se vai agora, comandante?

– Pro bairro de Fátima.

As brisas que vêm como ondas na noite sacodem-lhe os cabelos, de quando em vez responde a uma indagação do motorista.

– Quebra por aquele caminho. Fico na primeira curva.

O lugar é deserto, o motorista faz recomendações a Dudu, os faróis tocam o mato, longe, depois o barulho do motor vai desaparecendo, à proporção também que deixa de ver o vermelho das lanternas traseiras. Atravessa a picada de arbustos, chega debaixo das estreleiras, vê pela luz nas frestas da janela que tia Rita está acordada.

Toca de leve na porta, como costuma fazer, Radar está deitado na pequena entrada, levanta-se, mas não ladra. A sala é iluminada por muitas velas, mas além de Rita Soares há outras pessoas. O homem que ela chama Manoel Preto, Maria Milagres, dona Eduvirges, o Noca de Brito. Sentam-se em bancos e caixotes, junto às paredes. Dudu deseja um "boa-noite" meio sem graça, tia Rita está concentrada. Acomoda-se numa ponta de banco, do lado de Maria Milagres. Logo depois a cigana começa a falar, e a primeira coisa que diz deixa Dudu surpreso.

– Mandei lhe chamar porque muita coisa tá pra acontecer.

A mulher silencia de repente, as outras duas começam uma cantoria baixa, muito semelhante a um lamento, tia Rita se levanta, ergue os braços, caminha na direção de Dudu.

— Uma pessoa que tem ajudado a gente logo mais tá de partida. Que os caminhos que tentou abrir se alarguem, com boa vontade. Não se perca a esperança nos que tão do nosso lado, nem se tema a fúria de Satanás.

Dizendo essas palavras, esfrega os pés no chão, curva-se um pouco e, assim curvada, faz uns rodopios no limitado espaço da sala, enquanto Maria Milagres e dona Eduvirges batem palmas leves e cantarolam a canção triste da qual Dudu não entende uma única palavra. Manoel Preto e Noca de Brito movimentam os beiços, mas o perito está certo de que não cantam coisa alguma.

Rita Soares, mais uma vez, senta-se no seu caixote, em frente a duas velas.

— Quem o mal aqui faz, aqui paga!

Dudu conversa baixo com Maria Milagres, a voz da cigana se alteia. Noca de Brito imita o gesto que ela faz. É um homem já velho, o rosto gordo, cabelo branco, cortado rente.

— Se de nada adianta a conversa dos doutô contra quem faz a maldade, que o castigo venha do Altíssimo.

Dudu não entende quase nada do que Maria Milagres lhe diz. Só sabe que a sessão começou por volta das oito da noite, e agora já são mais de três da madrugada. Os participantes foram convocados da mesma forma que Dudu. Cada um sentiu vontade de ir visitar tia Rita, embora já fosse tarde.

O rosto da mulher, há pouco nervoso e sombrio, parece rejuvenescer. Há muito tempo Dudu não a via com expressão tão alegre.

— Tuca teve ontem comigo. Veio contar as coisas do céu e dizer que Aracelli chora de pena da gente e de Radar. Tuca tá tão bonito, Maria Milagres, que só vendo!

É o bastante para que a preta velha comece a chorar, limpando os olhos na manga do vestido.

— Pra você, Manoel, ele deixou um conselho, pela intenção da bicicleta. Seja mais amigo dos seus vizinhos e ajude como vem fazendo os que precisam e os que têm fome. Pra Milagres deixou esta flor.

A rosa branca passa de mão em mão, até chegar à preta velha, que redobra o choro.

— Dona Eduvirges, não deve se matar na construção daquela casa. Depois a casa fica aí e os que forem morar nela ainda vão achar que não tá boa. Pra seu Noca, um aviso: não passe mais pelo riacho do Turvo.

Um galo começa a cantar perto, a claridade da manhã insinua-se pelas frestas da porta e da janela, a cigana prossegue seu monólogo, de forma imperturbável.
– Pra seu Dudu, deixou dito que não esmoreça. Ninguém se desmoraliza na defesa da Justiça. Há de vir o dia em que a verdade vai aparecer, e os que lutaram por ela vão se sentir felizes.
– Tia Rita, a senhora permite uma pergunta? – indaga Dudu. – Qual é a pessoa que nos ajuda e tá de partida?
– Um homem de idade, gordo, também da Polícia, que teve recentemente em Vitória.

Outro galo canta, Dudu cruza as pernas, sente-se nervoso com a enormidade da informação. O ambiente de repente parece abafado, necessita de ar. Pede licença, vai para baixo do jasmineiro, olha no céu as estrelas que se esqueceram da noite. Não sente mais necessidade de estar ali, prossegue a caminhada por entre os arbustos e as flores do orvalho.

Não sabe quanto tempo fica estirado no sofá, bebericando uísque com soda. Liga para o Rio, procura por Carlos Éboli, dizem que viajou para Petrópolis. As palavras de Rita Soares não lhe saem da cabeça, os olhos pesam, tem vontade de entrar no banheiro, meter-se no chuveiro frio, para ver se os maus pressentimentos vão embora.

"Se de nada adianta a conversa dos doutô contra quem faz a maldade, que o castigo venha do Altíssimo."

Fecha os olhos, abre, o rosto de Rita Soares está de frente para as velas, malares ressaltados, os braços estendidos. E além da visão da cigana, agora também recorda, com extraordinária precisão, do rosto gordo e sereno de Maria Milagres, dos olhos escorrendo lágrimas na manga do vestido.

"Como um anjo pode trazer flor pra alguém na Terra? Estive de fato na casa de tia Rita ou apenas tou impressionado?"

Dudu já não tem muita certeza em matéria de tempo e lugar, quando isso diz respeito ao seu relacionamento com aquela cigana. A campainha da porta toca a primeira vez, a segunda. Antes de abrir, imagina tratar-se de alguém pedindo donativos, do porteiro para entregar cartas. Destrava o trinco, aparece Clério, um riso amarelo no rosto amarelo.

– Tu não foi lá no Salão Totinho hoje, cara! Tá todo mundo apavorado.

– Apavorado por quê?

– Há mais de uma hora as rádios tão dando que o Éboli morreu. Foi fazer um trabalho em Petrópolis e caiu duro. Ataque do coração. Quando levaram ele no pronto-socorro, já era tarde.

Dudu está sem palavras, olhando o amigo que se movimenta, falando alto e gesticulando. Os olhos fixam o deputado, mas o que vê, mesmo, é a expressão nervosa de Rita Soares, as mãos alongadas, as velas iluminando-lhe as palavras:

"Uma pessoa que tem ajudado a gente logo mais tá de partida".

– Será que Ildefonso já sabe disso?

Enquanto faz a pergunta, liga para o delegado.

– Agora mesmo é que a coisa vai enrolar. Parece que tudo dá certo pro lado dos assassinos – afirma Ildefonso.

Dudu desliga, imagina o quanto o companheiro está se sentindo desamparado. Clério fica uns instantes em silêncio, depois recomeça:

– Se não tivesse até aqui de trabalho, pegava um avião, agora mesmo, ia pro enterro.

Dudu não diz nada. Bota mais uísque no copo, estira-se de novo na poltrona. O rádio é ligado, toca músicas, o locutor inicia o noticiário das 16 horas. A primeira notícia fala da morte do perito carioca.

DOIS

Durante mais de uma semana, o pessoal quase não se reúne na porta do Salão Totinho, nem no Salão Garcia. Só Tutênio aparece, sempre de olho no jornal, procurando alguma nota a respeito dos trabalhos da CPI.

O homem da barbicha passa horas falando, o ex-vereador discute detalhes para a nova campanha que fará como candidato do MDB. Arturzão tem estado ausente. Não conseguiu o apartamento bom e barato pelo centro, resolveu ir descobrir a casa em Vila Velha, perto da praia. Mas, nessa manhã, Clério Falcão aparece, Tutênio aproveita para provocá-lo.

– Como é, cara. O Arturzão tava certo. Teus coleguinhas anotaram uma porrada de histórias e, pelo visto, vai tudo dar em nada.

– Calma. Não vamos botar o carro na frente dos bois. O que é bom tá a caminho.

Clério faz essas afirmações sem muita convicção, sorri, convida Tutênio para o café, fala do escândalo num banco que não chega a citar, dos terrenos que estão sendo grilados, "com a conivência de muita gente boa". Tutênio toma o café, quer saber da solução para o caso da menor.

Se tu não abrir o berreiro de novo, vai cair no esquecimento.

– Pode deixar. Na hora certa, aciono a máquina.

Clério ri alto, afasta-se com o paletó no ombro, o ex-vereador faz comentários, Tutênio não ouve direito, acha que o cara é um chato, só vive preocupado com a tal campanha que o elegerá pelo MDB.

– Quanto tempo faz que a CPI encerrou os trabalhos? – indaga o homem da barbicha.

Tutênio olha distante, calcula.

– Acho que mais de um mês. Tempo de sobra pra se fazer uma porção de coisa, quanto mais dar rumo em assunto desse tipo.

– Ocorre que isso não é só atribuição dos deputados – afirma o homem da barbicha.

– Não é o caralho! Quando querem, tudo anda direito e depressa.

A mulher da corcova passa do outro lado da rua, Dudu vem chegando em companhia de Jeová, seu advogado.

– Tu acha que aquele esporro do Clério em cima do Brandino vai dar em alguma coisa? – indaga Tutênio.

– Se se provar quem agrediu primeiro. Não havendo testemunha, dá em nada.

– Acho que foi aquele cara quem irritou o Clério – considera Tutênio.

– Não posso dizer nada. Não tava lá – afirma Dudu.

Novamente o silêncio volta a reinar, os carros passam perto, as pessoas apressadas, um velho com uma porção de telas a óleo, o menino das laranjas.

– Tu acha, Dudu, que o caso vai pra frente, agora que o Éboli se foi? – quer saber Tutênio.

– Claro que vai. Tem de ir.

– Não sei, não. Acho a coisa muito parada – comenta o ex-vereador, alisando os cabelos.

– De fato, tá tudo parado. Não é só a solução do crime da menina. Há um desânimo geral, em todo mundo. Não sei o que tá acontecendo em Vitória – diz o homem da barbicha.

– É muito trabalho e pouco dinheiro – comenta Jeová, sorridente.

O advogado vai embora, Dudu fica um pouco mais, fumando e olhando os que passam. Tutênio reclama da pensão onde resolveu morar.

– A coisa tá cada dia pior. Vou avisar pra dona Lindaura: melhora ou me mando. Não tou aqui pra aturar sacanagem de ninguém.

– Se tu sai de lá, pra onde é que vai? – diz o homem da barbicha.

– Não sou desvalido, cara. Tenho mãe, parentes bem colocados. É que não gosto de aporrinhar ninguém.

Dudu aproveita o diálogo de Tutênio, sem qualquer interesse, entra no café, sai pelo outro lado, toma um táxi, manda seguir na direção da Delegacia.

– Te esperei à beça pra gente jantar. Onde é que te meteste? – indaga Ildefonso Primo.

– Rodando por aí. Acho que Tutênio é quem tá certo. Não há mais quase nada a fazer. Tamos pior do que pescador esperando a maré subir. Se subir – responde Dudu, sorrindo.

– Não tá muito diferente do que era. Só que agora não se pode contar com Éboli. Fora disso, os problemas são os mesmos – considera o delegado.

O policial fardado entra na sala, entrega uns papéis, chega a mulher com a filha menor, senta-se numa cadeira, a mocinha fica de pé, o delegado esquece Dudu, põe-se a ouvi-la. A mulher não faz rodeio.

– O safado do Camerino (o senhor sabe quem é?) fez mal pra ela, e a besta ficou calada esse tempo todo. Só foi me contar hoje. Aí vim aqui lhe procurar. Não quero minha filha na boca do povo.

O delegado recosta-se na cadeira, o telefone toca, atende, passa para Dudu, volta a ouvir a mulher.

– Ele vivia chamando ela meu benzinho, meu amoreco. Essas coisas, o senhor sabe. Depois que conseguiu o que queria, se mandou. Nunca mais botei o olho no descarado.

O delegado pede nome completo do Camerino, endereço, para que possa expedir uma notificação. A velhota não sabe, a moça também não.

– Então, como é que sua filha se entregou a um sujeito cujo nome nem sabe?

A velhota engole em seco, faz um bico de raiva. Nunca ninguém lhe dissera tamanho despropósito.

– Tu nem sabe o nome daquele vagabundo?

A mocinha sacode negativamente a cabeça.

– Vai se voltar lá na casa dele pra perguntar.

Pede licença, ajeita o vestido, desaparece puxando a mocinha.

– Tá vendo o tipo de gente que baixa por aqui?

Dudu recoloca o fone no gancho, ouve o que o sargento moreno e gordo anuncia.

– O inspetor da Polícia Rodoviária tá aí de novo.

– Manda subir.

Enquanto o homem não aparece, o delegado comenta com Dudu:

– Tá querendo um quebra-galho pro cunhado. É boa gente.

Entra na sala o inspetor, um tipo alto e alourado, coturnos pretos, quepe de biqueira dura.

– Tava lhe esperando desde cedo. Quase não me encontra mais – vai dizendo Ildefonso.

– Hoje, a barra pesou pro nosso lado. Houve um senhor acidente na altura do quilômetro 5 da BR-262, já em Campo Grande. Coisa séria. Se trabalhou como bicho.

– Que tipo de acidente?

– Uma camioneta Chevrolet entrou disparada em cima de um Pontiac. Quando se chegou no local, tinha uma mulher degolada e mais outros três feridos graves, sem contar os carros que ficaram destroçados.

Ildefonso Primo pergunta a respeito da vítima, o inspetor começa a mexer nos bolsos, à procura do papel com as anotações do caso.

– Vou até passar no jornal e dar isso a um amigo nosso. Pode divulgar os dados certos.

Desdobra um papel pautado, vai lendo:

– O Pontiac chapa EH-5551 era daqui de Vitória. Elias Ferreira Bonadiman é quem dirigia. A camioneta tinha licença de Cachoeiro de Itapemirim. A morta é Elizabeth Helal Bonadiman.

– A filha de Constanteen Helal?

Dudu se levanta, para melhor observar os dados que estão nas mãos do inspetor.

– O que é que o senhor tá dizendo?

– Foi degolada? – indaga o delegado.

– Morte horrível! Ajudei a tirar o corpo das ferragens. A cabeça foi lançada fora do carro.

– E quem são os feridos?

– Wilson Lesqueves, que dirigia a camioneta, Elza Barbosa Lesqueves e Luciano Costalonga. Esse cara, aliás, é quem teria provocado o acidente. Ia atravessar a pista. O motorista da camioneta tentou evitar matá-lo, ainda o pegou de raspão, e acabou batendo de frente com o Pontiac.

Dudu senta de novo, o telefone toca, não atende, o inspetor continua a falar.

– Se ficou lá mais de três horas, trabalhando. Desde as oito e meia. Foi preciso maçarico pra cortar a ferragem.

– E o Elias, não se feriu?

– Coisa leve. Ninguém entende. Levou mais o susto.

O corpo foi transferido pra cá?

– Tá no necrotério – responde o inspetor, recolocando o papel dobrado no bolso.

Dudu debruça-se na janela, olha a noite pontilhada de faróis de carros e lâmpadas nos postes, junto com as lâmpadas, à luz das velas na sala estreita, tia Rita pedindo castigo para os culpados e a cantoria de Maria Milagres e de dona Eduvirges. Manoel Preto mexia só os beiços, Noca de Brito juntava as mãos e fingia estar cantando também. Mais uma vez, inquieta-se com a ideia a respeito de sua ida ou não à sessão na casa da cigana. Novamente se interroga naquela janela a respeito dos poderes de tia Rita, e o que ouve é a voz pastosa de Maria Milagres, afirmando sem qualquer dúvida:

"Ritinha tem força. Há muito santo com ela".

TRÊS

A manhã de novembro está cinzenta. Desde cedo o chuvisco peneira sobre a coberta das casas, nas ruas enlameadas, nas praças onde os arbustos perfilam-se verde-taciturnos. Dudu olha aquele dia e não se sente muito à vontade. Meteu-se numa capa escura, enfia as mãos nos bolsos. O ex--vereador aparece e, como sempre, fala baixo, conta os planos que tem para obter êxito nas urnas. Dudu viaja longe, o pensamento dividido, não ouve direito o que o homem diz, concorda para que a conversa não se alongue.

Na calçada da Lanchonete Kakus, na rua da Alfândega, está toda a turma que costuma reunir-se em frente ao Salão Totinho ou no Salão Garcia. A chuva não tira a animação de Tutênio, Arturzão mastiga um sanduíche, o homem da barbicha faz considerações vagas a respeito da meteorologia.

A discussão sobre o depoimento de Elza Dias, viúva do sargento Homero, ainda é assunto, o acidente que vitimou Elizabeth Helal também.

– Puxa, cara, esta cidade tá mesmo azarada! Nunca vi acontecer tanta merda em tão pouco tempo – diz Tutênio.

– E dizem que era boa pessoa. Não conheci, mas ouvi dizer – comenta o homem da barbicha.

– Também, o que tem de gente pedindo que Constanteen Helal se lasque não tá no gibi. Isso pesa, tão pensando que não? – considera Tutênio.

O táxi para em frente à lanchonete, salta Clério, sempre afobado, o laço da gravata por fazer.

– Cadê Dudu?

Tutênio grita pelo perito, ele vem chegando, ar de riso, a capa escura quase arrastando nos sapatos.

– Sabe que porra que aconteceu?

Dudu sacode a cinza do cigarro, o homem da barbicha estira o pescoço, o ex-vereador alisa os cabelos. Tutênio fica em silêncio, Arturzão brinca com a caixa de fósforos.

– Tentaram matar o "Boca Negra" outra vez. Me disseram que desta quase conseguem.

Clério toma o primeiro gole de café, Tutênio mostra-se revoltado, o ex-vereador torna a alisar os cabelos:

– Filhos da puta! – diz Tutênio.

– Mais cedo ou mais tarde, é o que vão terminar fazendo – afirma o homem da barbicha.

– E será que aquele bandido diz a verdade? – argumenta o ex-vereador.

– Não sei. Que tem peito, tem – diz Clério, arregalando os olhos. – Não é todo dia que se encontra um tipo como ele, que acusa um policial de frente e depois vai dormir numa cela.

As portas da lanchonete estão apinhadas e continua vindo mais gente que foge da chuva. Agora, os ventos são fortes, o tempo fechou, as luzes das ruas acenderam. Há um silêncio geral sobre o grupo. Até Tutênio, que tem sempre o que dizer, não encontra nada para falar.

– Se querem apagar o homem, é porque sabe de alguma coisa importante – afirma Dudu.

A trovoada atinge algumas portas da lanchonete, o frio aumenta, o pessoal recua, as moscas sobrevoam o balcão. Dudu pede outro café.

– Acho que vou até o bar tomar uma cana – diz Tutênio.

– Te acompanho – concorda Arturzão.

Os dois atravessam a rua correndo, Clério começa a se esforçar para tomar um táxi.

– Pelo visto, a chuva vai longe.

Dudu não se apressa. Enfia as mãos nos bolsos da capa, fica ouvindo o que diz o ex-vereador. O homem da barbicha também se apronta para deixar a lanchonete.

– Molhado ou não, tenho de pagar a conta da luz, senão cortam.

Dudu toma café, ouve o homem de mãos grandes falando no desabamento ocorrido no morro do Forte São João.

– Nunca vi coisa igual. O que desceu de terra e pedra lá de cima não tá escrito. Quase não posso passar com o caminhão. Se me atraso um minuto, ficava lá.

– E na Fonte Grande? – diz o companheiro do homem das mãos volumosas, um moço de rosto magro, sardas no nariz. – Sabe aquela escadaria? Sumiu por completo. A turma que mora no alto não tá nem conseguindo descer.

O ex-vereador acrescenta detalhes sobre outros desabamentos, chega a mulher da corcova e a outra com a sacola de compras. A mulher da corcova tem o rosto congestionado, os beiços trêmulos, os olhos raiados de sangue, muito abertos. Fala e estende a mão, apontando a praia onde aconteceu a desgraça.

– A canoa saiu cheia de pescadores. Ainda não tava chovendo. Quando se passou por lá, ainda há pouco, tava o povão chorando, as mulheres querendo entrar naquele mundaréu de água que Deus manda.

– Nunca vi ressaca igual – acentua a mulher da sacola de compras, que é mais calma.

– Aquilo ali é mar aberto – diz o ex-vereador.

– Parece que até agora não encontraram nenhum corpo – torna a falar a mulher da sacola.

– O que encontraram foi a canoa toda arrebentada – afirma a mulher da corcova.

– Foi aparecer pros lados da rocha.

Dudu sai da lanchonete, a chuva umedecendo-lhe os sapatos, molhando-lhe o rosto, recorda as profecias de tia Rita, da tempestade igual, que sumiu com Tuca, tem vontade de voltar ao bairro de Fátima, ao mesmo tempo em que sente uma profunda tristeza daquela manhã sem sol, do povo de rosto triste e nervoso como do motorista de caminhão e da mulher da corcova. Atravessa a primeira rua, chega na avenida Capixaba, onde o engarrafamento de veículos é grande, ouve pessoas que reclamam da inundação para os lados da Rodoviária, na entrada da cidade, nas avenidas Vitória e República, na rua Graciano Neves. Sabe ser impossível tomar um táxi, vai caminhando pelas calçadas até a pracinha com os arbustos carregados de gotas transparentes. Entra na fila de pessoas molhadas, que tomam o ônibus, o carro desengonçado move-se com lentidão, ora rangendo numa poça de lama, ora derrapando onde o asfalto está coberto de barro. Olha pelos vidros, os charcos ao longo da pista, a água entrando pelas janelas quebradas, os passageiros que sobem e descem nos pontos de parada, o limpador de para-brisa mal dando conta do recado, o motorista se esforçando para manter-se na pista, com toda a fúria da trovoada. Na parte rebaixada do terreno, depois da curva, a lagoa de água barrenta, o ônibus geme e estala, o homem gordo lembra que basta uma gota-d'água no distribuidor para o veículo parar ali mesmo, a mulher de rosto assustado manda que vá azarar em outro lugar, o tipo gordo faz um risinho sem graça, o motorista procura manter-se nos pontos mais elevados, até atingir o trecho de ladeira onde as enxurradas descem pelos grotões, abrindo cavernas na tabatinga das encostas. Ao longo da praia, o carro desenvolve um pouco mais, embora a chuva tenha aumentado de intensidade. Para em frente ao grupo de mulheres e velhos abrigados sob guarda-chuvas, garotos nus aventurando-se nas ondas da ressaca, crinas eriçadas. O homem gordo ergue-se, estira o braço, fala alto:

– Foi aqui que os pescadores se acabaram.

Algumas pessoas e o próprio motorista descem, Dudu acompanha.

– Vamos ver se essa gente precisa de ajuda – diz o motorista.

– Acho que agora já não se pode fazer nada – responde o homem gordo, e mais uma vez a mulher de rosto assustado o encara, irritada.

Dudu chega perto da mulher vestida de preto, que chora e pronuncia palavras que não fazem sentido, o garoto de beiços arroxeados conta como foi:

– Tava chovendo fino. O pai abriu a janela e viu, pelo tempo, que devia ser quatro horas. Aí acordou Zeca, Pedro e foi chamar seu Tibúrcio e seu Cirilo. Disse que, com esse tempo, a pescaria de bagre era melhor. Não foi com eles porque tinha tido febre na véspera, e a mãe queria que fosse vender uns bagulhos na feira.

– De que tamanho era a canoa?

– Um igarité de quatro bancos, muito forte pra qualquer tempo.

A mulher do rosto marcado de rugas aproxima-se.

– O que restou da embarcação tá do outro lado daquela pedra.

Dudu olha na direção em que a mulher aponta, o que vê são as crinas das ondas cobrindo os lajedos. O motorista do ônibus, que também está perto, um criolão alto e encurvado, arrisca consideração:

– Ninguém pode se meter num temporal desse, homem de Deus. O melhor é esperar que os corpos venham dar na praia. Quem se aventurar nessas ondas vai morrer fácil.

Novos fragmentos de roupas e objetos chegam às areias, as mulheres e os velhos movimentam-se, uma das velhotas, o rosto por trás de um manto de rugas, chora alto, a boca abrindo-se numa careta sem dentes.

Dudu passa as mãos no rosto molhado, o homem gordo sorri e faz perguntas ao garoto de beiços arroxeados. Caminha na direção da pedra, os farelos de madeira batendo-se com fúria nos rochedos, o nome "Gaivota" aparecendo e desaparecendo num pedaço de madeirame pintado de branco. Volta ao ônibus que ficou de motor ligado, o motorista buzina avisando que está de partida, a viagem é reiniciada, o grupo de guarda-chuvas permanece diante das ondas brancas, do céu que se juntou ao mar.

– É capaz da correnteza já ter levado eles pros lados de Tubarão – diz o homem gordo, mas ninguém parece ouvir suas palavras.

Dudu salta no trecho lamacento, entra pelo caminho estreito, ladeado de arbustos que a tempestade açoita, chega ao campinho, agora transformado num lago, passa por baixo da estreleira, o chão coberto de folhas verdes, flores em botão. Está com a roupa colada ao corpo, mas não se preocupa com isso. Empurra a cancela, vê tia Rita, pano branco amarrado na cabeça, tão molhada quanto ele, vê Tiziu movimentando uma enxada, Tadeu que carrega pedaços de madeira, todos envolvidos na trovoada.

– Que foi isso?

– A parede não aguentou o temporal. Tá caindo por baixo. Seu Neca de Brito já teve aqui. Foi buscar o caibro pra fazer uma escora.

Dudu olha o rosto da mulher, molhado de chuva, os olhos verdes, o sorriso de dente falhado, ajuda Tadeu com os pedaços de madeira, examina a parte onde a parede começou a desmoronar.

– Se não se cuidar depressa, vem toda embaixo.

– Vamos rezar pra que isso não aconteça – diz Rita Soares.

Noca de Brito chega com o caibro, é muito grande, a mulher manda Tiziu pedir o serrote de Nestor de Afonsina emprestado, Dudu descobre um lugar onde há diversas pedras que servem para firmar a parede, Noca de Brito, embora já velho, tem força bastante para empurrá-la até perto da casa. Depois serra o caibro, Dudu abre uma orelha com a machadinha, os dois forcejam para ajustar a escora na ponta da cumeeira, calçam com as pedras o pé da escora. Tia Rita olha pra cima, tem certeza de que o trabalho está bem feito.

– Agora, vamos tomar um café quente, pra não pegar constipação.

Os garotos guardam as ferramentas, Dudu vai para o cômodo mais recuado da casa, tira a camisa, esfrega-se na toalha que Tiziu traz. De um baú, tia Rita tira o blusão que ganhou na arrecadação de donativos.

– Tudo tem serventia neste mundo – diz ela. – Chegou a vez do blusão.

Ri alto, Dudu acha graça, porque o blusão cabe dois dele. Noca de Brito diz estar bem, basta tomar um gole de café e cair de novo na chuva.

– Tenho muita coisa pra reparar. Até na casa de minha sobrinha, que nunca choveu, desta vez o vento abriu umas três goteiras no meio da varanda.

A cigana mexe no fogão, nos gravetos de lenha, Tiziu e Tadeu sentam-se no banco comprido, cada um com sua tigela, esperando o café. Tia Rita volta com o papel fumaçando, bota no meio da mesa de tábuas, serve Noca de Brito numa caneca de lata, serve Dudu. Depois de encher as tigelas dos garotos, recomenda:

– Cuidado que tá fervendo!

Senta-se, ajeita os cabelos molhados, os olhos estão alegres, iguais aos que Dudu viu debaixo da chuva.

– É água que Deus manda, tia Rita – fala de repente Noca de Brito, botando a caneca vazia na mesa.

A mulher não responde, Dudu se ocupa com Tiziu e Tadeu, Noca de Brito se despede, um trovão forte estronda para os lados da praia.

– Hoje é um dia de muito acontecimento – diz ela, quando Noca de Brito já passou pela cancela, está quase chegando à estreleira.

– Tem inundação por tudo que é lugar – responde Dudu.

– Mas não é só inundação. Quando voltar pra cidade, procure seu Nemésio, que ele deve saber de coisa importante.

– Com respeito a Aracelli?

Os olhos da cigana tornam-se distantes, o rosto sem nenhuma alegria.

– Tão cedo não vão dar sossego pra pobre criança!

Tadeu diz qualquer coisa, tia Rita não repara, Tiziu também fala. Um vento forte sopra, a janela que se abre para dentro da sala bate com força. Dudu sente o ar frio da trovoada no rosto.

– Que é que pode tá acontecendo? – pergunta Dudu.

– Não sei bem, só indo lá.

Dudu continua a tomar o café, a mulher levanta, acende uma vela, bota na frente da Virgem de Fátima. Chama os filhos para ajoelhar e rezar. Dudu acompanha a cerimônia. A mulher pede que seja dada paz aos pescadores que se perdem em alto-mar, num dia como hoje, pede pelos pobres que ficarão mais pobres, por Maria Milagres, que tem uma casa tão frágil no meio daquele vendaval, pede por dona Eduvirges. Lembra as graças de Tuca e de Aracelli.

– Que sejam os santos de Deus e da nossa companhia!

Dudu sabe que aquele ritual entrará pela noite, torna a botar a camisa molhada, encosta a porta, nem Tiziu nem Tadeu reparam quando sai. Envolve-se na capa, enfia as mãos nos bolsos e assim chega ao bar na beira da estrada, com uma lâmpada triste, acesa no meio daquela tarde molhada. O homem fala do temporal que espantou a freguesia, coloca a dose dupla de conhaque, o perito prossegue a caminhada.

– Por aqui não passa ônibus desde manhã.

Foi o que o homem do bar dissera, e Dudu sabia que estava certo, os lugarejos por perto deveriam estar inundados, a mulher conduzindo alguns móveis, tudo que sobrou da sua casa, invadida pela correnteza do rio. Atrás dela, os garotos barrigudos, a menina de cabelos escorridos, os pés afundando na lama da rua sem calçamento.

"Hoje é um dia de muito acontecimento."

Olha o rosto de Rita Soares, seu Noca de Brito forcejando com a escora, a orelha aberta no pau, encaixado com segurança por baixo da cumeeira.

– A parede pode cair, mas o telhado não vem com ela. Tá firme pra outro tanto de chuva.

A camioneta avança nas poças. Dudu acena, o motorista para, manda que suba.

– Dei sorte de te encontrar por estas bandas.

– Fui lá na praia onde aquele pessoal se afogou – responde o motorista, ex-funcionário da Secretaria de Segurança.

– Apareceu algum corpo?

– Com aquela ressaca? Fiquei até com medo de chegar perto – responde o motorista, um homem já velho, a careca reluzente tomando-lhe quase toda a cabeça.

– Na ida pra lá, conversei com o pessoal. Só os destroços da canoa tinham chegado na praia.

O motorista se alonga em considerações a respeito dos pescadores que sumiram, dos desabamentos em São Torquato, das casas inundadas na entrada de Vitória.

– Não se cuida das canaletas no verão. Quando vem a época da chuva é isso. Se bem que desta vez tá pior. Nunca vi tanta água.

Dudu faz ar de riso.

– Guenta um pouco que fico por aqui.

A camioneta continua pela avenida, as árvores balançando furiosamente as copas, a rede elétrica oscilando, alguns fios partidos. Entra pela rua estreita, coberta de folhas verdes e flores de ipê-roxo, chega ao pátio dos prédios antigos, portas e janelas fechadas. Atravessa a cortina de água das biqueiras, bate o pé no capacho de arame. O salão é amplo, e não há ninguém. Caminha até o corredor, o homem magro, rosto vermelho, faz um sorriso quando o vê.

– Por aqui, com essa chuva toda? – indaga Nemésio, metido no seu uniforme cáqui, sapatos pretos, roídos nos saltos.

– O mar não tá pra peixe. Tem cada uma acontecendo por aí que deixa a gente tonto.

Abre a carteira de cigarros, bastante úmida, oferece ao funcionário, puxam as primeiras tragadas, põem-se a conversar.

– O que aconteceu com o corpo de Aracelli?

Nemésio tira o cigarro dos beiços, o rosto fica sério de repente, vago ar de preocupação.

– Que saiba, nada!

Dudu acha graça, sopra mais uma vez a fumaça do cigarro, olha a chuva que cai do telhado do pátio de pedras.

– É fácil verificar – diz Nemésio, o molho de chaves na mão.

Andam pelo corredor, em silêncio. Perto da grande geladeira, torna a falar:

– Ouviu algum comentário?

Escolhe a chave, a fechadura estala, a portinhola se abre, Dudu se aproxima para olhar melhor, a gaveta está vazia, puxa nova tragada do cigarro.

– Foi sigilo total.

– Pra mim, significa falta de consideração.

A portinhola se fecha, Nemésio está de fato aborrecido, o rosto mais vermelho que de costume.

– Pode ser que desta vez queiram de fato dar rumo certo no caso.

O funcionário nada comenta, chegam outra vez ao saguão.

– E o que mais sabe a respeito disso? – indaga Nemésio.

– Por enquanto, tou quase na mesma situação. Sei que mandaram o cadáver pra algum lugar. Talvez pro Rio. Vou me comunicar com uns amigos de lá, procurar saber.

Nemésio bate nervosamente com uma das chaves na mão, relembra coisas passadas, argumenta:

– Foi por isso que na segunda-feira mandaram redobrar os cuidados com os despojos da menina. Devia ter desconfiado.

Dudu não faz comentários. Abre a porta, olha o temporal rugindo por cima das casas e ao longo das ruas.

– Tudo nesta terra é misterioso – queixa-se Nemésio. – Pra eles, todo mundo é irresponsável. Os grandões, que fazem as trapaças, é que são sérios, merecem confiança.

Dudu sente o quanto Nemésio está ferido no seu orgulho de servidor público exemplar, com uma folha de quinze anos de serviços, sem uma falta, nem por motivo de doença. O funcionário faz outras afirmações, relata pormenores do trabalho, o perito não dá importância, por saber que está revoltado.

Mete-se novamente na chuva, passa por baixo do ipê-roxo, rodeado de flores e folhas que os ventos fortes agitam no chão, avança protegendo-se nos beirais das casas, em cada ralâmpago vê o rosto descontraído de tia Rita, os olhos serenos, as palavras serenas.

"Tão cedo não vão dar sossego pra pobre criança!"

Perto da Rodoviária, as mulheres segurando o vestido de um lado, entrando descalças na lagoa que se formou, os homens com as calças arregaçadas, o vendedor de ervas afirmando que o raio pegou a mulher e o menino.

– Tava bem perto deles quando aconteceu.

Os curiosos fazendo roda em torno do homem de grandes mãos, rosto quadrado, fiapos brancos de barba por fazer, a nuvem da catarata ameaçando-lhe o olho esquerdo.

– Que Deus nos tenha na sua graça – diz o homem e se benze. – A mulher caiu queimada, a criança foi atirada longe.

Dudu se aproxima, a pobre está com os pés dentro d'água, alguém pergunta se não é bom puxar para a parte que tem a coberta de telhas, o policial que espera o rabecão responde que agora tanto faz como tanto fez.

– Não tá mais sentindo nada.

O perito abre caminho através do povaréu, sobe a rua de ladeira, lava os sapatos na enxurrada, chega à Lanchonete Kakus, onde muitos tipos fazem lanche e conversam, esperando que a chuva afine.

Dudu faz ar de riso.

– Guenta um pouco que fico por aqui.

A camioneta continua pela avenida, as árvores balançando furiosamente as copas, a rede elétrica oscilando, alguns fios partidos. Entra pela rua estreita, coberta de folhas verdes e flores de ipê-roxo, chega ao pátio dos prédios antigos, portas e janelas fechadas. Atravessa a cortina de água das biqueiras, bate o pé no capacho de arame. O salão é amplo, e não há ninguém. Caminha até o corredor, o homem magro, rosto vermelho, faz um sorriso quando o vê.

– Por aqui, com essa chuva toda? – indaga Nemésio, metido no seu uniforme cáqui, sapatos pretos, roídos nos saltos.

– O mar não tá pra peixe. Tem cada uma acontecendo por aí que deixa a gente tonto.

Abre a carteira de cigarros, bastante úmida, oferece ao funcionário, puxam as primeiras tragadas, põem-se a conversar.

– O que aconteceu com o corpo de Aracelli?

Nemésio tira o cigarro dos beiços, o rosto fica sério de repente, vago ar de preocupação.

– Que saiba, nada!

Dudu acha graça, sopra mais uma vez a fumaça do cigarro, olha a chuva que cai do telhado do pátio de pedras.

– É fácil verificar – diz Nemésio, o molho de chaves na mão.

Andam pelo corredor, em silêncio. Perto da grande geladeira, torna a falar:

– Ouviu algum comentário?

Escolhe a chave, a fechadura estala, a portinhola se abre, Dudu se aproxima para olhar melhor, a gaveta está vazia, puxa nova tragada do cigarro.

– Foi sigilo total.

– Pra mim, significa falta de consideração.

A portinhola se fecha, Nemésio está de fato aborrecido, o rosto mais vermelho que de costume.

– Pode ser que desta vez queiram de fato dar rumo certo no caso.

O funcionário nada comenta, chegam outra vez ao saguão.

– E o que mais sabe a respeito disso? – indaga Nemésio.

– Por enquanto, tou quase na mesma situação. Sei que mandaram o cadáver pra algum lugar. Talvez pro Rio. Vou me comunicar com uns amigos de lá, procurar saber.

Nemésio bate nervosamente com uma das chaves na mão, relembra coisas passadas, argumenta:
— Foi por isso que na segunda-feira mandaram redobrar os cuidados com os despojos da menina. Devia ter desconfiado.

Dudu não faz comentários. Abre a porta, olha o temporal rugindo por cima das casas e ao longo das ruas.
— Tudo nesta terra é misterioso — queixa-se Nemésio. — Pra eles, todo mundo é irresponsável. Os grandões, que fazem as trapaças, é que são sérios, merecem confiança.

Dudu sente o quanto Nemésio está ferido no seu orgulho de servidor público exemplar, com uma folha de quinze anos de serviços, sem uma falta, nem por motivo de doença. O funcionário faz outras afirmações, relata pormenores do trabalho, o perito não dá importância, por saber que está revoltado.

Mete-se novamente na chuva, passa por baixo do ipê-roxo, rodeado de flores e folhas que os ventos fortes agitam no chão, avança protegendo-se nos beirais das casas, em cada ralâmpago vê o rosto descontraído de tia Rita, os olhos serenos, as palavras serenas.

"Tão cedo não vão dar sossego pra pobre criança!"

Perto da Rodoviária, as mulheres segurando o vestido de um lado, entrando descalças na lagoa que se formou, os homens com as calças arregaçadas, o vendedor de ervas afirmando que o raio pegou a mulher e o menino.
— Tava bem perto deles quando aconteceu.

Os curiosos fazendo roda em torno do homem de grandes mãos, rosto quadrado, fiapos brancos de barba por fazer, a nuvem da catarata ameaçando-lhe o olho esquerdo.
— Que Deus nos tenha na sua graça — diz o homem e se benze. — A mulher caiu queimada, a criança foi atirada longe.

Dudu se aproxima, a pobre está com os pés dentro d'água, alguém pergunta se não é bom puxar para a parte que tem a coberta de telhas, o policial que espera o rabecão responde que agora tanto faz como tanto fez.
— Não tá mais sentindo nada.

O perito abre caminho através do povaréu, sobe a rua de ladeira, lava os sapatos na enxurrada, chega à Lanchonete Kakus, onde muitos tipos fazem lanche e conversam, esperando que a chuva afine.

— Tá chovendo há quase 30 horas — lembra o ex-vereador.

— E, pelo visto, o temporal ainda vai longe. É como tia Rita diz: água nos pecadores, até que as almas tejam lavadas — acentua Tutênio.

— Mas a infeliz que morreu na Rodoviária não parecia mais pecadora do que as que tão dando trambique por aí nos otários — considera Arturzão.

— Como é que pode saber? Quem te deu esse poder? — indaga Tutênio.

— Deus escreve certo por linhas tortas — arrisca o homem da barbicha.

— Vocês são uns carolas de bosta — responde Arturzão, sem ter muito o que argumentar.

Clério discute com o homem calvo, de paletó e gravata, que segura uma pasta de couro lustroso. Agita os braços, faz ginga, arregala os olhos, escancara a boca num riso enorme, de dentes grandes e brancos.

O ex-vereador oferece café a Tutênio, a Dudu, a Arturzão.

— Vou querer é um esquenta-corpo. Daqui a pouco, escapulo pro barzinho.

Clério deixa o homem da pasta de lado, toma o café, Dudu põe-se a relatar o que vira no Instituto Médico-Legal, fala de tia Rita, da tristeza de Nemésio, Tutênio está assustado, Clério faz careta, Arturzão limpa as unhas, o homem da barbicha apura o ouvido.

— E tu acredita que o sumiço do corpo seja boa coisa? — quer saber Tutênio.

— Talvez sim, talvez não. O melhor é procurar mais informação com o nosso pessoal no Rio.

— E tem de ser já, irmãozinho — responde Clério, botando as mãos na cabeça.

— Tia Rita foi quem descobriu? — indaga o ex-vereador.

— Deu a dica. Me disse que alguma coisa estranha tava acontecendo e mandou procurar o Nemésio — responde Dudu.

— Mulher forte tá ali. Quero tá sempre do lado dela — comenta Tutênio.

A chuva dos telhados estala nas calçadas, os relâmpagos cruzam o espaço, trovões fortes estrondam para os lados de Vila Velha. A garotinha magra, de cabelos escorridos, rosto amarelo, entra pedindo esmola, Tutênio procura a moeda que não encontra, a menina se intromete pelos grupos, Clério fala alto, gesticula.

— Se tem de estourar isso nos jornais!

Dudu sacode a cinza do cigarro, imagina ir procurar Ildefonso Primo, colocá-lo a par do que estava acontecendo, mas não sai do lugar. Os ventos frios daquele dia frio invadem a lanchonete, ele fecha mais um botão da capa, enfia as mãos nos bolsos.

O homem baixo e forte, com um boné de oleado marrom, fala nos corpos que encontraram na praia da Costa.

– Por enquanto, apareceu um velhote e um garoto.

O homem da barbicha lembra que o prefeito pensa decretar estado de calamidade, Arturzão fala no desabamento de duas casas na avenida Fernando Ferrari, no acidente do ônibus com uma carreta.

Dudu acompanha aquela agitação toda, mas não se sente disposto a comentários. Impressiona-se com as árvores verde-silenciosas, perfiladas na praça, recobertas de pedrarias d'água, testemunhando o desastre que estava previsto.